DU MÊME AUTEUR

Du monde entier

HAROLD PINTER

LE GARDIEN

Nouvelle traduction de l'anglais
par Philippe Djian

GALLIMARD

The Caretaker *a été présenté pour la première fois par l'Arts Theatre Club en association avec Michael Codron et David Hall à l'Arts Theatre, à Londres, le 27 avril 1960.*

Le 30 mai 1960, la pièce a été présentée par Michael Codron et David Hall au Duchess Theatre, à Londres, avec la distribution suivante : Alan Bates (Mick), Donald Woodthorpe (Aston) et Donald Pleasence (Davies). La mise en scène était de Donald McWhinnie.

Le 2 mars 1972, la pièce a été reprise au Mermaid Theatre, à Londres, avec la distribution suivante : John Hurt (Mick), Jeremy Kemp (Aston), et Leonard Rossiter (Davies). La direction était Christopher Morahan.

Nouvelle production en janvier 1976 au Shaw Theatre, à Londres, avec la distribution suivante : Simon Rouse (Mick), Roger Lloyd Pack (Aston) et Fulton Mackay (Davies). La direction était de Kevin Billington.

Autre production en novembre 1980 au National Theatre, avec la distribution suivante : Jonathan Pryce (Mick), Kenneth Cranham (Aston) et Warren Mitchwell (Davies). La direction était assurée par Kenneth Ives.

Autre production au Comedy Theatre, à Londres, en juin 1991, avec la distribution suivante : Peter Howitt (Mick), Colin Firth (Aston), Donald Pleasence (Davies). La direction était assurée par Harold Pinter.

PERSONNAGES

MICK, *proche de la trentaine.*
ASTON, *milieu de la trentaine.*
DAVIES, *vieil homme.*

DÉCOR

L'action se déroule dans une maison de l'ouest de Londres.

Acte I : Une nuit en hiver.
Acte II : Quelques secondes plus tard.
Acte III : Une quinzaine de jours plus tard.

Une pièce. Une fenêtre, au fond, dont la partie basse est masquée par de la toile de sac. Un lit de fer, contre le mur de gauche. Une petite étagère au-dessus, où sont rangés des pots de peinture, des boîtes contenant des clous, des vis, etc. D'autres boîtes, d'autres récipients à côté du lit. À droite, une porte. À droite de la fenêtre, un monticule : un évier de cuisine, un escabeau, un seau à charbon, une tondeuse à gazon, un caddie, des boîtes, des tiroirs de buffet... Sous cet amoncellement, un lit de fer. Devant celui-ci, une cuisinière à gaz. Sur la cuisinière, une statue de Bouddha. À droite, une cheminée. Éparpillés alentour : deux ou trois valises, un tapis roulé, un chalumeau, un fauteuil de bois renversé, d'autres boîtes, bon nombre d'ornements, un portemanteau, un assortiment de planches, un petit radiateur électrique et un très vieux grille-pain. Ainsi qu'une pile de vieux journaux. Sous le lit d'Aston, à gauche, un aspirateur que l'on découvrira plus tard. Un seau est suspendu au plafond.

ACTE I

Mick est seul dans la pièce, assis sur le lit. Il porte un blouson de cuir.

Silence.

Il glisse un long coup d'œil à la pièce, s'arrêtant sur chaque objet, l'un après l'autre. Puis il lève les yeux au plafond et considère le seau. Après quoi, baissant les yeux, il se tient immobile, sans expression, le regard vague.

Silence, durant trente secondes.

Une porte claque. On entend des voix étouffées.

Mick tourne la tête. Il se lève, se dirige silencieusement vers la porte, sort et referme doucement derrière lui.

Silence.

On entend de nouveau des voix. Qui se rapprochent, puis s'arrêtent. La porte s'ouvre. Aston et Davies entrent, Aston le premier, suivi par Davies qui traîne les pieds et souffle bruyamment.

Aston porte un vieux pardessus en tweed et un costume léger à rayures bleu marine, passablement miteux, droit, avec un pull-over, une chemise défraîchie et une cravate. Davies porte un manteau marron, usé, un pantalon sans forme, un gilet, une veste, pas de chemise, et des sandales. Aston remet la clé dans sa poche et ferme la porte. Davies inspecte les lieux.

ASTON : Asseyez-vous.

DAVIES : Merci. *(Regardant autour de lui :)* Euh…

ASTON : Une minute.

> *Aston cherche des yeux un siège, avise le fauteuil qui est renversé près du tapis roulé, devant la cheminée, et va le récupérer.*

DAVIES : M'asseoir ? Euh… J'ai pas pu m'asseoir gentiment… J'ai pas pu m'asseoir convenablement… oh, je pourrais pas vous dire…

ASTON, *avançant le fauteuil* : Allez-y.

DAVIES : Dix minutes pour souffler, au milieu de la nuit, pour boire mon thé et pas moyen de trouver un siège, dans le coin. Rien de rien. Il y en avait que pour ces Grecs. Polonais, Grecs, Noirs, tous ces types-là, c'était tous ces étrangers qui les avaient. Et c'est là qu'on me faisait travailler… on me faisait travailler…

> *Aston s'assoit sur le lit, sort une boîte de tabac, du papier, et se roule une cigarette. Davies l'observe.*

C'était tous ces Noirs qui les avaient. Noirs, Grecs, Polonais, tous ces types-là, exactement, à me piquer ma place, à me traiter comme un chien. Ce soir, quand il est venu me voir, je lui ai dit.

> *Pause.*

ASTON : Asseyez-vous.

DAVIES : D'accord, mais ce que je dois faire pour commencer, vous voyez, ce que je dois faire avant tout, c'est décompresser, vous voyez ce que je veux dire ? J'aurais pu me faire esquinter, là-bas.

> *Davies peste bruyamment, se donne un direct dans la main, puis il tourne le dos à Aston et fixe le mur.*
> *Pause. Aston allume sa cigarette.*

ASTON : Vous voulez vous en rouler une ?

DAVIES, *se tournant* : Quoi ? Non, non, je ne fume jamais de cigarette. *(Pause. Il s'approche.)* Maintenant, je vais vous dire une chose. Je vais prendre un peu de ce tabac-là pour ma pipe, si ça vous va.

ASTON, *lui tendant la boîte* : Bien sûr. Allez-y. Servez-vous.

DAVIES : C'est bien aimable à vous, m'sieur. Simplement de quoi bourrer ma pipe et rien de plus. *(Il sort une pipe de sa poche et la bourre.)* J'avais une boîte, il y a... il y a pas si long-temps que ça. Mais on me l'a chauffée. On me l'a chauffée sur Great West. *(Il indique la boîte.)* Je la mets où ?

ASTON : Donnez-la-moi.

DAVIES, *lui tendant la boîte* : Ce soir, quand il est venu me voir, je lui ai dit. Pas vrai ? Vous m'avez entendu, non ?

ASTON : Je l'ai vu se jeter sur vous.

DAVIES : Se jeter sur moi ? Vous rigolez. L'enfoiré, un homme de mon âge, moi qui ai dîné aux meilleures tables.

Pause.

ASTON : Oui, je l'ai vu qui se jetait sur vous.

DAVIES : Tous ces maudits va-nu-pieds, mon vieux, ça sait seu-lement se conduire comme des cochons. J'ai peut-être été sur les routes durant quelques années, mais vous pouvez y aller, je suis propre. Je prends soin de moi. C'est pour ça que j'ai quitté ma femme. Quinze jours après l'avoir épousée, non, même pas, pas plus d'une semaine, je soulève le couvercle d'une casserole et vous savez ce qu'il y avait dedans ? Des sous-vêtements à elle, des sales. Et c'était pour cuire les légumes, cette casserole. Exprès pour les légumes. C'est après ça que je l'ai quittée et je l'ai plus jamais revue.

> *Il se détourne, fait quelques pas dans la pièce en traî-nant des pieds et se trouve nez à nez avec la statuette de Bouddha placée sur la cuisinière. Il l'examine, puis il se tourne.*

J'ai été servi aux meilleures tables. Mais je ne suis plus jeune, à présent. Je me souviens du temps où j'étais aussi bon que n'importe lequel d'entre eux. Fallait pas prendre de libertés avec moi. Mais je suis plus aussi en forme depuis quelque temps. J'ai eu plusieurs attaques.

> *Pause.*

(S'approchant :) Vous avez vu ce qui est arrivé avec l'autre abruti ?

ASTON : Je n'ai vu que la fin.

DAVIES : S'amener vers moi, me coller la poubelle dans les bras et m'envoyer me la coltiner dans l'arrière-cour… C'est pas à moi de sortir les poubelles. Ils ont un gamin pour sortir les poubelles. J'ai pas été embauché pour les sortir. Mon boulot, c'est de laver par terre, nettoyer les tables, faire un peu de vaisselle. Rien à voir avec sortir les poubelles.

ASTON : Mmm.

> *Il traverse la pièce et s'empare du grille-pain.*

DAVIES, *sur ses pas* : Oui, et même si c'était le cas, mettons. Même là. Même si j'étais censé les sortir, ces poubelles, qui c'était, ce con, pour venir me donner des ordres ? On est sur le même pied. C'est pas mon patron. C'est pas mon supérieur.

ASTON : C'était quoi, un Grec ?

DAVIES : Pas lui. C'était un Écossais. Un Écossais d'Écosse.

> *Aston revient vers son lit avec le grille-pain et commence à dévisser la prise. Davies le suit.*

Vous aviez un œil sur lui, n'est-ce pas ?

ASTON : Oui.

DAVIES : Je lui ai dit ce qu'il pouvait en faire, de sa poubelle. Pas vrai ? Vous étiez là. Écoute-moi bien, j'ai dit, je suis un vieil homme, j'ai dit, et là où j'ai été élevé, on avait une certaine idée de la manière dont il fallait parler aux vieilles personnes, avec le respect qui convient, on nous élevait avec des principes, et si j'avais quelques années de moins, je… je te casserais les reins. C'était après que le proprio m'eut viré. Je faisais trop d'histoires, qu'il me fait. Trop d'histoires, moi! Écoutez, je lui ai dit, je connais mes droits. Voilà ce que je lui ai dit. Peut-être que je me suis retrouvé sur la route, mais personne n'a davantage de droits que j'en ai. Soyons un peu fair-play, j'ai dit. N'empêche qu'il m'a viré. *(Il s'assoit dans le fauteuil.)* C'est ce genre d'endroit.

Pause.

Si vous n'étiez pas intervenu pour arrêter ce con d'Écossais, je serais à l'hôpital à l'heure qu'il est. Je me serais fendu le crâne sur le trottoir s'il m'avait touché. Je l'aurai. Je l'aurai, un de ces soirs. Que je me retrouve un peu dans le secteur!

Aston va chercher une prise dans une boîte.

C'est pas que ça m'ennuie beaucoup, mais j'ai laissé toutes mes affaires là-bas, dans l'arrière-salle. Absolument tout, et il y en a un tas, vous voyez, dans ce sac. Jusqu'à la plus petite miette de tous mes satanés trucs que j'ai laissés là-bas, derrière moi. Dans la précipitation de la chose. Je suis sûr qu'il est en train de fouiller dedans au moment où je vous parle.

ASTON : J'y ferai un saut, un de ces quatre et je vous les rapporterai.

Aston retourne à son lit et entreprend de fixer la prise au grille-pain.

DAVIES : En tout cas, je vous suis bien reconnaissant de me laisser… de me laisser souffler un peu, disons… pour quelques minutes. *(Il regarde autour de lui.)* C'est votre chambre?

ASTON : Oui.

DAVIES : Vous avez pas mal de trucs, on dirait.

ASTON : Oui.

DAVIES : Y en a pour un paquet, de tout ça… dans l'ensemble.

Pause.

Y a de quoi faire.

ASTON : Y en a pas mal, c'est vrai.

DAVIES : Vous dormez ici, n'est-ce pas ?

ASTON : Oui.

DAVIES : Quoi ? Là-dedans ?

ASTON : Oui.

DAVIES : Oui, eh bien, vous devez être à l'abri des courants d'air, ici.

ASTON : On n'a pas trop de vent.

DAVIES : Vous devez être bien à l'abri. C'est une autre histoire quand vous créchez dehors.

ASTON : Sûrement.

DAVIES : Du vent et rien d'autre, oui.

Pause.

ASTON : Oui, quand le vent se lève, ça...

Pause.

DAVIES : Oui...

ASTON : Mmm...

Pause.

DAVIES : On se retrouve en plein courant d'air.

ASTON : Ah.

DAVIES : J'y suis très sensible.

ASTON : Vraiment ?

DAVIES : Je l'ai toujours été.

Pause.

Vous avez d'autres pièces, alors, n'est-ce pas ?

ASTON : Où ?

DAVIES : Je veux dire ici, à l'étage... là, au-dessus.

ASTON : Elles sont pas en état.

DAVIES : À d'autres !

ASTON : Il y a beaucoup à faire.

> *Petite pause.*

DAVIES : Et en bas ?

ASTON : C'est fermé. Plein de trucs à voir... Les planchers...

> *Pause.*

DAVIES : J'ai eu de la chance que vous mettiez les pieds dans ce café. Je me serais fait démolir par ce con d'Écossais. On m'a laissé pour mort plus d'une fois.

> *Pause.*

J'ai remarqué qu'il y avait quelqu'un qui vivait dans la maison d'à côté.

ASTON : Quoi ?

DAVIES, *avec un geste vague* : J'ai remarqué...

ASTON : Oui. C'est habité tout au long de la rue.

DAVIES : Oui, j'ai remarqué que les rideaux étaient tirés à côté quand nous sommes arrivés.

ASTON : Il y a des voisins.

> *Pause.*

DAVIES : Alors c'est votre maison, n'est-ce pas ?

> *Pause.*

ASTON : Je m'en occupe.

DAVIES : Vous êtes le propriétaire, n'est-ce pas ?

> *Il prend sa pipe et tire dessus sans l'allumer.*

Oui, j'ai remarqué ces gros rideaux tirés à côté, quand nous sommes arrivés. J'ai remarqué ces grands et lourds rideaux là-bas, à la fenêtre. J'ai pensé qu'il devait y avoir quelqu'un qui habitait là.

ASTON : Une famille d'Indiens habite là.

DAVIES : Des Noirs ?

ASTON : Je ne les vois pas beaucoup.

DAVIES : Des Noirs, hein ? *(Il se lève et fait quelques pas.)* Bon, vous avez pas mal de bibelots, ici, je dirais. J'aime pas les pièces nues. *(Aston le rejoint au milieu de la pièce.)* Je vais vous dire, mon vieux, vous auriez pas une paire de chaussures en trop ?

ASTON : Des chaussures ?

Aston se déplace vers la droite.

DAVIES : Ces salauds du monastère m'ont encore laissé tomber.

ASTON, *regagnant son lit* : Où ça ?

DAVIES : Là-bas, à Luton. Le monastère de Luton... J'avais un copain à Shepherd's Bush, vous voyez...

ASTON, *regardant sous son lit* : J'en ai peut-être une paire.

DAVIES : J'avais ce copain à Shepherd's Bush. Dans les toilettes. Enfin, il travaillait dans les toilettes. Il tenait les meilleures toilettes du coin. *(Il regarde Aston.)* Il tenait les plus chouettes. Il me glissait toujours un morceau de savon, chaque fois que j'y allais. Du très bon savon. Il faut qu'ils aient le meilleur savon. Je me retrouvais jamais sans un morceau de savon, chaque fois qu'il m'arrivait de vadrouiller dans les environs de Shepherd's Bush.

ASTON, *émergeant de sous le lit avec des chaussures* : Une paire de marron.

DAVIES : Il y est plus, maintenant. Parti. C'est lui qui m'avait branché sur le monastère. De l'autre côté de Luton. Il avait entendu dire qu'ils distribuaient des chaussures.

ASTON : On doit toujours avoir une bonne paire de chaussures.

DAVIES : Les chaussures ? Question de vie ou de mort, pour moi. J'ai dû faire tout le chemin depuis Luton dans celles-ci.

ASTON : Il s'est passé quoi, quand vous êtes arrivé là-bas ?

Pause.

DAVIES : Je connaissais un cordonnier à Acton. C'était un bon copain à moi.

Pause.

Vous savez pas ce qu'il me fait, ce salaud de moine ?

Pause.

Vous avez encore combien de Noirs, comme ça, disons dans le coin ?

ASTON : Quoi ?

DAVIES : Vous en avez encore beaucoup, des Noirs, dans les parages ?

ASTON, *lui tendant les chaussures* : Regardez si ça convient.

DAVIES : Vous savez pas ce qu'il me fait, ce salaud de moine ? *(Il examine les chaussures.)* Je crois qu'elles sont un poil trop petites.

ASTON : Vous croyez ?

DAVIES : Non, ça me semble pas la bonne pointure.

ASTON : Elles sont pas en mauvais état.

DAVIES : Je peux pas porter des chaussures qui me vont pas. Y a rien de pire. Je lui ai fait, à ce moine, hé, j'ai dit, regardez un peu, m'sieur, j'ai dit, j'ai fait tout ce chemin jusqu'ici, regardez, j'ai dit, je lui ai montré celles-ci, j'ai dit vous auriez pas une paire de chaussures, des fois, une paire de chaussures, j'ai dit, qui puisse me tenir la route. Regardez les miennes, elles sont quasiment fichues, j'ai dit, elles me servent plus à rien. J'ai entendu dire que vous en aviez un stock, ici. Fous-moi le camp, qu'il me dit. Hé, attendez un peu, je lui fais, je suis un vieil homme, vous pouvez pas me parler sur ce ton, je me moque de savoir qui vous êtes. Si tu fous pas le camp, il me dit, je vais te reconduire jusqu'à la sortie en te bottant le cul. Bon, alors écoutez-moi, j'ai dit, attendez une minute, tout ce que je demande c'est une paire de chaussures, commencez pas à prendre des libertés avec moi, j'ai mis trois jours pour venir, je lui ai dit, trois jours sans manger un morceau, j'ai quand même droit à un morceau, merde. Fais le tour jusqu'aux cuisines, qu'il me dit, passe par-derrière, et quand tu auras mangé, tire-toi d'ici. Bref, j'y suis allé, dans leurs cuisines. Ce qu'ils m'ont donné à manger ! Un moineau, je vous dis, un petit moineau, un minuscule petit moineau, il vous aurait nettoyé ça en moins de deux minutes. Bon, ils m'ont dit, tu as eu ton repas, tu dégages. Un repas ? J'ai dit, vous me prenez pour quoi, pour un chien ? Pas mieux qu'un chien. Vous me prenez pour quoi, pour une bête sauvage ? Et si on reparlait de ces chaussures que j'ai fait tout ce chemin jusqu'ici parce qu'on m'avait dit que vous en donniez ? J'ai bien envie de vous signaler à la mère supérieure. L'un d'eux, un taré d'Irlandais, s'est précipité sur moi. J'ai filé en vitesse. J'ai fait un petit détour par Watford, où j'ai pu m'en procurer une paire. Je suis descendu par le nord, et juste après Hendon, la semelle m'a lâché, alors même que j'étais en train de marcher. Encore heureux que j'avais emballé les vieilles et que je les avais avec moi, sans quoi, mon vieux, j'étais foutu.

ASTON : Essayez celles-là.

> *Davies prend les chaussures, ôte ses sandales, et les essaye.*

DAVIES : C'est pas une mauvaise paire de chaussures. *(Il exécute quelques pas traînants dans la pièce.)* Elles sont solides, je dis pas. Oui. C'est loin d'être une mauvaise paire de chaussures. C'est du super cuir, hein ? Vraiment super. Un type a voulu me refiler du daim, l'autre jour. J'ai jamais voulu les mettre. Rien ne vaut le cuir, à l'usage. Le daim, ça tient pas le coup, ça plisse, c'est taché pour la vie en moins de cinq minutes. Y a pas mieux que le cuir. Oui. En voilà, de la bonne chaussure.

ASTON : Bon.

> *Davies remue ses pieds.*

DAVIES : Sauf qu'elles vont pas.

ASTON : Oh ?

DAVIES : Non. J'ai le pied très large.

ASTON : Mmm…

DAVIES : Celles-ci sont trop pointues, vous voyez.

ASTON : Ah.

DAVIES : Elles m'auront estropié dans la semaine. Je veux dire, celles que j'ai, c'est pas des bonnes, mais au moins elles sont confortables. Elles valent pas grand-chose, mais bon, elles me blessent pas. *(Il les enlève et les rend à Aston.)* En tout cas, m'sieur, merci quand même.

ASTON : Je vais voir ce que je peux vous trouver.

DAVIES : D'accord. Je peux pas continuer comme ça. Je peux pas faire ce que j'ai à faire dans ces conditions. Et il va falloir que je me remue, voyez-vous, pour essayer de trouver quelque chose.

ASTON : Vous devez aller où ?

DAVIES : Oh, j'ai deux ou trois trucs en tête. J'attends que la météo s'arrange.

Pause.

ASTON, *s'occupant à nouveau du grille-pain* : Vous… ça vous dirait de dormir ici ?

DAVIES : Ici ?

ASTON : Vous pouvez dormir ici si vous voulez.

DAVIES : Ici ? Oh, ma foi, j'en sais rien.

Pause.

Pour combien de temps ?

ASTON : Jusqu'à ce que… vous trouviez quelque chose.

DAVIES, *s'asseyant* : Ah bon, c'est…

ASTON : Que vous ayez eu le temps de vous retourner.

DAVIES : Oh, ça, je vais trouver quelque chose… dans pas longtemps…

Et je dormirais où ?

ASTON : Ici. Les autres pièces... elles vous conviendraient pas.

DAVIES, *se levant, regardant autour de lui* : Ici ? Où ça ?

ASTON, *se levant, indiquant le fond à droite* : Il y a un lit, là-bas derrière.

DAVIES : Oh, je vois. Ça c'est pratique. Eh bien ça... je vais vous dire, je vais me laisser tenter... le temps de me retourner. Vous avez pas mal de mobilier ici.

ASTON : Déniché à droite et à gauche. Je garde ça ici pour le moment. J'ai pensé que ça pourrait se montrer utile.

DAVIES : Et cette cuisinière, est-ce qu'elle marche ?

ASTON : Non.

DAVIES : On fait quoi pour avoir une tasse de thé ?

ASTON : Rien.

DAVIES : C'est un peu dur. *(Il considère les planches :)* Vous construisez quelque chose ?

ASTON : Je vais sans doute construire une cabane, derrière.

DAVIES : Menuisier, hein ? *(Il jette un œil sur la tondeuse à gazon.)* Vous avez de la pelouse ?

ASTON : Venez voir.

> Aston écarte le sac de la fenêtre. Ils regardent dehors.

DAVIES : Elle m'a l'air un peu drue.

ASTON : Ça a trop poussé.

DAVIES : Et ça, c'est quoi, un bassin ?

ASTON : Oui.

DAVIES : Vous avez quoi, des poissons ?

ASTON : Non. Y a rien, il est vide.

Pause.

DAVIES : Vous allez la mettre où, votre cabane ?

ASTON, *abandonnant la fenêtre* : Il faut d'abord que je nettoie le jardin.

DAVIES : Mon vieux, il va vous falloir un tracteur.

ASTON : Je vais me débrouiller.

DAVIES : De la menuiserie, hein ?

ASTON, *immobile* : J'aime bien… travailler avec mes mains.

> *Davies prend la statuette du Bouddha.*

DAVIES : Qu'est-ce que c'est ?

ASTON, *la prenant et l'étudiant* : C'est un Bouddha.

DAVIES : Sans blague.

ASTON : Oui. Je l'aime vraiment bien. Je l'ai déniché dans… dans un magasin. Il m'a tapé dans l'œil. Sais pas pourquoi. Vous pensez quoi de ces Bouddhas ?

DAVIES : Oh, ils sont… ils sont parfaits, non ?

ASTON : Oui, ça m'a fait plaisir de tomber sur celui-là. Il est vraiment bien fait.

> *Davies se tourne et regarde sous l'évier.*

DAVIES : C'est le lit en question, n'est-ce pas ?

ASTON, *s'approchant du lit* : On va débarrasser tout ça. L'escabeau va aller sous le lit. *(Ils mettent l'escabeau sous le lit.)*

DAVIES, *montrant l'évier* : Et ça ?

ASTON : Je crois que ça aussi, ça va aller en dessous.

DAVIES : Je vais vous donner un coup de main. *(Ils le soulèvent.)* Dites donc, ça pèse une tonne…

ASTON : Là-dessous.

DAVIES : Il sert à rien, alors.

ASTON : Non. Je vais le virer. Ici.

> *Ils mettent l'évier sous le lit.*

Il y a des toilettes à l'étage en dessous. Il y a un évier. On peut ranger tout ça ici.

> *Ils déplacent le seau à charbon, le caddie, la tondeuse et les tiroirs du buffet le long du mur droit.*

DAVIES, *se figeant* : Vous les partagez pas, au moins ?

ASTON : Quoi ?

DAVIES : Je veux dire, vous partagez pas les toilettes avec les Noirs d'à côté, non ?

ASTON : Ils habitent en face.

DAVIES : Ils viennent pas ici ?

Aston range un tiroir le long du mur.

Parce que vous savez... je veux dire... il faut être juste...

Aston s'approche du lit, chasse la poussière et secoue une couverture.

ASTON : Vous ne voyez pas une valise bleue ?

DAVIES : Une valise bleue. Là-dessous. Regardez. Près du tapis.

Aston se penche sur la valise, l'ouvre, en sort un drap et un oreiller et commence à faire le lit.

Il est chouette, ce drap.

ASTON : La couverture est sans doute un peu poussiéreuse.

DAVIES : Vous cassez pas la tête pour ça.

Aston se redresse, sort sa boîte de tabac et commence à se rouler une cigarette. Il va jusqu'à son lit et s'y assoit.

ASTON : Vous en êtes où, question argent ?

DAVIES : Oh, eh bien... maintenant, m'sieur, si vous voulez savoir la vérité... je suis un peu à court...

Aston tire quelques pièces de sa poche, les trie, et lui tend cinq shillings.

ASTON : Voilà quelques shillings.

DAVIES, *prenant les pièces* : Merci, merci beaucoup, bien aimable. C'est juste que je me trouve un peu à court, en ce moment. Vous voyez, j'ai rien touché pour tout mon boulot de la semaine dernière. Voilà où j'en suis, voilà ce que c'est.

Pause.

ASTON : Je suis entré dans un pub, l'autre jour. J'ai commandé une Guinness. On me l'a servie dans une chope épaisse comme le doigt. Je me suis assis mais j'ai pas pu la boire. Je peux pas boire une Guinness dans un verre épais. Je l'aime que dans un verre fin. J'en ai bu quelques gorgées mais j'ai pas pu la finir.

> *Sur son lit, Aston saisit un tournevis et une prise qu'il commence à trafiquer.*

DAVIES, *avec emphase* : Si au moins la météo pouvait s'arranger ! Comme ça je pourrais descendre à Sidcup.

ASTON : Sidcup ?

DAVIES : Cette fichue météo est tellement pourrie, comment est-ce que je pourrais descendre à Sidcup avec ces chaussures ?

ASTON : Pourquoi vous voulez descendre à Sidcup ?

DAVIES : J'ai mes papiers, là-bas !

> *Pause.*

ASTON : Vos quoi ?

DAVIES : J'ai mes papiers, là-bas !

> *Pause.*

ASTON : Qu'est-ce qu'ils font à Sidcup, vos papiers ?

DAVIES : C'est un type que je connais qui les a. Je les lui ai laissés. Vous comprenez ? Ils prouvent qui je suis ! Je peux pas me promener sans ces papiers. Ils disent qui je suis. Vous voyez ! Sans eux, je suis coincé.

ASTON : Pourquoi ça ?

DAVIES : Ben… ce que c'est, vous voyez, c'est que j'ai changé de nom ! Ça fait des années. Je circule sous un nom d'emprunt. C'est pas mon vrai nom.

ASTON : C'est quoi, votre nom d'emprunt ?

DAVIES : Jenkins. Bernard Jenkins. C'est mon nom. En tout cas, c'est celui sous lequel on me connaît. Mais ça me sert à rien de continuer avec ce nom. Ça me donne aucun droit. Regardez, j'ai une carte d'assurance. *(Il sort une carte de sa poche.)* Au nom de Jenkins. Vous voyez ? Bernard Jenkins. Regardez. Il y a quatre tampons là-dessus. Quatre, y en a. Mais vous croyez que ça m'avance ? C'est pas mon vrai nom, ils vont finir par s'en apercevoir, ils vont me baiser. Quatre tampons. Et ça m'a pas coûté des pennies. Ça m'a coûté des livres. Ça m'a coûté des livres, pas des pennies. Il y avait d'autres tampons, des tas, mais ils les ont pas mis, ces faces de cul, j'ai jamais pu trouver le temps de régler ça.

ASTON : Ils auraient quand même pu tamponner votre carte.

DAVIES : Ça aurait servi à rien. J'en aurais tiré aucun avantage, de toute façon. C'est pas mon vrai nom. Si je m'en sers, ils vont me baiser.

ASTON : Alors, c'est quoi votre vrai nom ?

DAVIES : Davies. Mac Davies. C'était avant que j'en change.

Pause.

ASTON : J'ai l'impression que vous devriez mettre tout ça en ordre.

DAVIES : Si seulement je pouvais descendre à Sidcup ! J'attends que la météo s'arrange. Il a mes papiers, le gars à qui je les ai laissés, c'est tout noir sur blanc, je peux tout prouver.

ASTON : Il les a depuis longtemps ?

DAVIES : Quoi ?

ASTON : Il les a depuis longtemps ?

DAVIES : Oh, ça doit faire… c'était pendant la guerre… ça doit faire… pas loin d'une quinzaine d'années.

> *Il prête soudain attention au seau suspendu au plafond et l'observe.*

ASTON : Quand vous voudrez… vous couchez, vous gênez pas. Vous occupez pas de moi.

DAVIES, *ôtant son manteau* : Eh bien, ma foi, je crois que je vais y aller. Je me sens un peu... un peu lessivé. *(Il enlève son pantalon et le tient à bout de bras.)* Je peux le mettre ici ?

ASTON : Oui.

> *Davies suspend son manteau et son pantalon au portemanteau.*

DAVIES : Je vois que vous avez un seau, là-haut.

ASTON : Une fuite.

> *Davies lève la tête.*

DAVIES : Bon, je vais donc essayer votre lit. Vous vous couchez pas ?

ASTON : Je vais arranger cette prise.

> *Davies le regarde, puis considère la cuisinière.*

DAVIES : Dites... on peut pas la bouger, non ?

ASTON : Un peu lourde.

DAVIES : Oui.

> *Davies se couche, teste le lit en long et en large.*

Pas mal. Pas mal. Sympa, ce lit. Je crois que je vais pouvoir y dormir.

ASTON : Faut que je trouve un abat-jour qui convienne pour cette lampe. La lumière est un peu éblouissante.

DAVIES : Vous cassez pas la tête pour ça, m'sieur, vous cassez pas pour ça. *(Il se tourne et remonte la couverture.)*

> *Aston reste assis, trafiquant sa prise.*
> LA LUMIÈRE DÉCROÎT. *Noir.*
> LA LUMIÈRE REVIENT. *C'est le matin.*
>
> *Aston, debout près de son lit, boutonne son pantalon. Il arrange son lit. Il se tourne, s'avance vers le centre de la pièce et regarde Davies. Puis il fait demi-tour, enfile son blouson, se tourne de nouveau, s'avance vers Davies et se penche au-dessus de lui.*
> *Il tousse. Davies se redresse brusquement.*

DAVIES : Quoi ? C'est quoi ? C'est quoi ?

ASTON : Tout va bien.

DAVIES, *les yeux écarquillés* : Qu'est-ce qu'y a ?

ASTON : Tout va bien.

> *Davies regarde autour de lui.*

DAVIES : Oh, d'accord.

> *Aston se dirige vers son lit, saisit la prise et la secoue.*

ASTON : Bien dormi ?

DAVIES : Oui. Comme une masse. J'ai dû tomber raide.

> *Aston traverse la pièce, s'empare du grille-pain et l'examine.*

ASTON : Vous... hmmm...

DAVIES : Mouais ?

ASTON : Est-ce que vous rêviez ou quelque chose dans ce goût-là ?

DAVIES : Si je rêvais ?

ASTON : Oui.

DAVIES : Je ne rêve pas. J'ai jamais rêvé.

ASTON : Non, moi non plus.

DAVIES : Ni moi.

> *Pause.*

Et pourquoi vous me le demandez ?

ASTON : Vous faisiez des bruits.

DAVIES : Qui ça ?

ASTON : Vous.

> *Davies sort du lit. Il porte des caleçons longs.*

DAVIES : Hé, minute. Attendez une minute, vous voulez dire quoi ? Quel genre de bruits ?

ASTON : Vous poussiez des gémissements. Vous marmonniez.

DAVIES : Je marmonnais ? Moi ?

ASTON : Oui.

DAVIES : Je ne marmonne pas, mon vieux. Personne m'a encore jamais dit ça.

Pause.

Pourquoi est-ce que j'aurais marmonné ?

ASTON : J'en sais rien.

DAVIES : Je veux dire, tout ça n'a aucun sens.

Pause.

On m'a encore jamais dit ça.

Pause.

Y a erreur sur la personne, l'ami.

ASTON, *retournant vers le lit avec le grille-pain* : Non. Vous m'avez réveillé. Je me suis dit que vous étiez peut-être en train de rêver.

DAVIES : Je n'étais pas en train de rêver. J'ai jamais fait un seul rêve de toute ma vie.

Pause.

ASTON : C'était peut-être à cause du lit.

DAVIES : Y a rien qui ne va pas avec ce lit.

ASTON : Il vous est peut-être un peu étranger.

DAVIES : Y a rien qui me soit étranger, avec les lits. J'ai déjà dormi dans des lits. Je ne fais pas de bruits simplement parce que je dors dans un lit. J'ai dormi dans des tas de lits.

Pause.

Je vais vous dire, peut-être que c'était ces Noirs.

ASTON : Quoi ?

DAVIES : Ces bruits.

ASTON : Quels Noirs ?

DAVIES : Ceux que vous avez. À côté. Peut-être que c'était ces Noirs qui faisaient des bruits, ça passait à travers les murs.

ASTON : Mmm.

DAVIES : C'est mon point de vue.

> *Aston abandonne la prise et se dirige vers la porte.*

Où est-ce que vous allez, vous sortez ?

ASTON : Oui.

DAVIES, *attrapant ses sandales* : Alors attendez une minute, juste une minute.

ASTON : Qu'est-ce que vous faites ?

DAVIES, *mettant ses sandales* : Vaut mieux que je vienne avec vous.

ASTON : Pourquoi ça ?

DAVIES : Je veux dire, je ferais mieux de sortir avec vous, de toute façon.

ASTON : Pourquoi ?

DAVIES : Ben… vous voulez pas que je sorte ?

ASTON : Pour quoi faire ?

DAVIES : Je veux dire… quand vous êtes sorti. Vous voulez pas que je sorte… quand vous êtes sorti ?

ASTON : Y a rien qui vous oblige à sortir.

DAVIES : Quoi… je peux rester ici ?

ASTON : Faites comme ça vous chante. Vous êtes pas obligé de sortir simplement parce que je sors.

DAVIES : Ça vous ennuie pas que je reste ici ?

ASTON : J'ai plusieurs clés. *(Il va chercher une boîte près de son lit et les trouve.)* Pour cette porte et pour la porte d'entrée. *(Il les tend à Davies.)*

DAVIES : Merci beaucoup, c'est très aimable à vous.

> *Pause. Aston reste sans bouger.*

ASTON : Je crois que je vais faire une petite promenade jusqu'au bout de la rue. Un petit… un genre de petit magasin. Ils avaient une scie sauteuse, l'autre jour. J'avoue que j'étais plutôt emballé.

DAVIES : Une scie sauteuse, l'ami ?
ASTON : Oui. Ça pourrait vraiment servir.
DAVIES : Oui.

Petite pause.

Et donc, c'est donc quoi au juste ?

Aston s'avance vers la fenêtre et regarde au-dehors.

ASTON : Une scie sauteuse ? Bah, c'est un genre de scie parmi d'autres. Mais bon, c'est plutôt un accessoire. Il faut l'adapter à une perceuse.
DAVIES : Ah, d'accord. C'est drôlement pratique.
ASTON : Sûr.

Pause.

Vous savez, j'étais assis dans un café, l'autre jour. Et par hasard, j'étais assis à la même table que cette femme. Bon, nous avons commencé… nous avons commencé à entamer la conversation. Je ne sais pas… à propos de ses vacances, enfin bon, où elle était allée. Elle était allée sur la côte. Je me souviens plus où exactement. En tout cas, nous étions tranquillement assis et nous avions cette petite conversation… quand tout à coup, elle pose sa main sur la mienne… et elle me dit, ça vous dirait que je jette un coup d'œil sur votre corps ?
DAVIES : Sans déconner !

Pause.

ASTON : Oui. De sortir ça comme ça, au beau milieu de la conversation. Ça m'a semblé un poil bizarre.
DAVIES : Elles me disaient la même chose.
ASTON : Vraiment ?
DAVIES : Les femmes ? Je compte pas les fois où elles m'ont entrepris, pour me demander plus ou moins la même chose.

Pause.

ASTON : Vous avez dit que c'était quoi, votre nom, déjà ?

DAVIES : Bernard Jenkins, c'est mon nom d'emprunt.

ASTON : Non, l'autre.

DAVIES : Davies. Mac Davies.

ASTON : Vous êtes pas gallois ?

DAVIES : Hein ?

ASTON : Vous êtes gallois ?

> *Pause.*

DAVIES : Bah, j'ai tourné à droite et à gauche, vous savez… ce que je veux dire… par-ci, par-là…

ASTON : Alors, vous êtes né où ?

DAVIES, *se renfrognant* : Où vous voulez en venir ?

ASTON : Où est-ce que vous êtes né ?

DAVIES : Où… euh… oh, c'est un peu compliqué, quoi, de revenir en arrière… vous comprenez… de revenir… tout ce chemin… perd un peu le fil, quoi… vous voyez…

ASTON, *se penchant vers la cheminée* : Vous voyez cette prise ? Branchez-le, si ça vous dit. Ce petit radiateur.

DAVIES : Entendu, m'sieur.

ASTON : Vous avez juste à le brancher.

DAVIES : Entendu, m'sieur.

> *Aston se dirige vers la porte.*

DAVIES, *anxieusement* : Je dois faire quoi ?

ASTON : Simplement l'allumer, c'est tout. Ça chauffera tout de suite.

DAVIES : Je vais vous dire quoi. Je vais pas m'embêter avec ça.

ASTON : Aucun problème.

DAVIES : Non, j'aime pas beaucoup ces trucs-là.

ASTON : Ça devrait marcher. *(Il l'allume.)* Okay.

DAVIES : À propos, j'allais vous demander, m'sieur, au sujet de cette cuisinière. Je veux dire, vous croyez pas que ça peut laisser échapper du… qu'est-ce que vous en pensez ?

ASTON : C'est pas branché.

DAVIES : Vous voyez, l'ennui c'est, elle est juste à la tête de mon lit, vous voyez ? Je dois faire attention à pas cogner... l'un de ces robinets à gaz avec mon épaule quand je me lève, vous me suivez ?

Il fait le tour de la cuisinière et l'examine.

ASTON : Y a aucune raison de vous inquiéter.

DAVIES : Bon, écoutez-moi, vous faites pas de mouron à cause de ça. Tout ce que je vais faire, c'est de jeter un coup d'œil sur ces robinets de temps en temps, voilà ce que je vais faire. Pour m'assurer qu'ils sont bien fermés. J'en fais mon affaire.

ASTON : Je ne crois pas que...

DAVIES, *venant vers lui* : Hé, m'sieur, juste une chose... euh... vous pourriez pas me glisser un ou deux shillings, pour une tasse de thé, juste, vous savez...

ASTON : Je vous en ai donné hier soir.

DAVIES : Hé, vous l'avez fait. Vous m'en avez donné. J'avais oublié. Ça m'était sorti de la tête. C'est juste. Merci, m'sieur. Écoutez. Vous êtes vraiment sûr cette fois, vous êtes sûr que ça vous dérange pas que je reste ici ? Je veux dire, je suis pas le genre d'homme à vouloir prendre quelque liberté que ce soit.

ASTON : Non, y a pas de lézard.

DAVIES : J'irai peut-être jusqu'à Wembley un peu plus tard.

ASTON : Hin-hin.

DAVIES : Il y a un troquet là-bas, vous voyez, ça se pourrait d'y trouver quelque chose. J'y suis déjà allé, okay ? Je sais qu'ils étaient un peu en demande de personnel. Ça se pourrait qu'ils aient besoin de bras supplémentaires.

ASTON : C'était quand ?

DAVIES : Hein ? Oh, ma foi, c'était... pas loin de... ça doit faire... ça doit faire un petit moment, maintenant. Mais ce qui se passe, évidemment, c'est qu'ils peuvent pas trouver le personnel adéquat. Ce qu'ils veulent faire, c'est d'essayer d'éliminer tous ces étrangers, vous voyez, dans la restauration. Ils veulent un Anglais pour servir le thé, voilà ce qu'ils veulent, voilà ce qu'ils réclament à cor et à cri. C'est qu'une question de bon sens, non ? Oh, j'ai tout ça en train... c'est... euh... c'est... bien ce que j'ai l'intention de faire.

Pause.

Si seulement je pouvais aller là-bas.

ASTON : Mmm. *(Il se dirige vers la porte.)* Bon, alors à plus.

DAVIES : Oui. D'accord.

> *Aston sort et ferme la porte.*
> *Davies reste immobile. Il attend quelques secondes, puis il va vers la porte, l'ouvre, regarde à l'extérieur, la referme, s'y adosse, se retourne vivement, la rouvre, regarde à nouveau dehors, revient, referme la porte, prend les clés dans sa poche, en essaye une, essaye l'autre, ferme la porte à clé. Il se tourne vers la chambre, l'inspecte des yeux. Puis il se dirige promptement vers le lit d'Aston, se penche, ramasse la paire de chaussures et l'examine.*

Pas une mauvaise paire de chaussures. Un peu pointues.

> *Il les replace derrière le lit. Regarde autour du lit d'Aston, s'empare d'un vase et regarde à l'intérieur, puis il ramasse une boîte et la secoue.*

Des vis !

> *Il remarque des pots de peinture à la tête du lit, s'en approche et les examine à leur tour.*

De la peinture. Qu'est-ce qu'il est en train de peindre ?

> *Il repose le pot de peinture, revient au centre de la pièce, lève les yeux sur le seau et grimace.*

Va falloir que je tienne ce truc à l'œil. *(Il se dirige vers la droite, attrape un chalumeau.)* Il a pas mal de trucs, ici. *(Il prend*

le Bouddha et le regarde.) Un sacré tas. Regardez-moi tout ça.
(Son regard tombe sur la pile de journaux.) Qu'est-ce qu'il fabrique
avec tous ces journaux ? Y en a un sacré paquet.

> *Il s'avance vers la pile, la touche. Elle oscille. Il tâche
> de la stabiliser.*

Tiens bon, tiens bon !

> *Il la retient et la remet en place.*
> *La porte s'ouvre.*
> *Mick entre, fourre la clé dans sa poche et referme la
> porte en silence. Il s'y adosse et observe Davies.*

Qu'est-ce qu'il fiche avec tous ces journaux ? *(Davies enjambe
le tapis et s'avance vers la valise bleue.)* Il avait un drap et un
oreiller tout prêts, là-dedans. *(Il ouvre la valise.)* Vide. *(Il referme
la valise.)* En attendant, j'ai dormi d'une traite. Je fais pas de
bruit. *(Il regarde à la fenêtre.)* Qu'est-ce que c'est que ça ?

> *Il prend une autre valise et essaye de l'ouvrir. Mick se
> déplace dans le fond, silencieusement.*

Fermée à clé. *(Il la repose et se déplace vers l'avant-scène.)* Doit
y avoir quelque chose là-dedans. *(Il attrape un tiroir, fouille son
contenu, puis le repose.)*

> *Mick se glisse dans la pièce.*
> *Davies se retourne à demi, Mick lui saisit le bras et le
> lui tord dans le dos. Davies hurle.*

Aaaaaaaaahhhh ! Aaaaaaaaaahhhh ! Quoi ! Quoi ! Quoi !
Aaaaaaaahhhh !

> *Promptement, Mick le flanque par terre, sans le lâcher.
> Davies se débat, grimace, gémit, écarquille les yeux.*
> *Mick le tient d'une main. De l'autre, il place l'in-
> dex devant ses lèvres — qu'il place ensuite sur celles
> de Davies. Celui-ci se calme. Mick le relâche. Davies se
> contorsionne. Mick lève un doigt menaçant. Il s'assoit*

sur ses talons et considère Davies. Puis il se lève et le considère de toute sa hauteur. Davies se frictionne le bras en regardant Mick. Celui-ci se tourne lentement pour inspecter la pièce. Il s'avance vers le lit de Davies et le défait. Il se tourne, s'avance vers le portemanteau et attrape le pantalon de Davies. Qui, de son côté, s'apprête à se relever. Mick le maintient plaqué au sol avec son pied, le maîtrisant. Puis, finalement, il retire son pied. Il examine le pantalon et le lance vers le portemanteau. Davies reste à terre, accroupi. Mick s'avance lentement vers le fauteuil, s'y assoit, et regarde Davies avec un air sans expression.
Silence.

MICK : C'est quoi, le jeu ?

RIDEAU.

ACTE II

Quelques secondes plus tard.
Mick est assis, Davies sur le sol, à moitié assis, accroupi.
Silence.

MICK : Alors ?
DAVIES : Rien, rien. Rien.

Une goutte tombe dans le seau suspendu au plafond.
Ils lèvent les yeux. Mick reporte son attention sur Davies.

MICK : Comment tu t'appelles ?
DAVIES : Je vous connais pas. Je sais pas qui vous êtes.

Pause.

MICK : J'attends...
DAVIES : Jenkins.
MICK : Jenkins ?
DAVIES : Oui.
MICK : Jen... kins.

Pause.

Tu as dormi ici, la nuit dernière ?
DAVIES : Oui.
MICK : Bien dormi ?
DAVIES : Oui.

MICK : Je suis vraiment content. Je suis vraiment ravi de te rencontrer.

Pause.

Comment dis-tu que tu t'appelles ?
DAVIES : Jenkins.
MICK : Pardon ?
DAVIES : Jenkins !

Pause.

MICK : Jen... kins.

Une goutte tombe dans le seau. Davies lève les yeux.

Tu me rappelles un frère de mon oncle. Cet homme-là, il ne tenait pas en place. Jamais sans son passeport. Toujours un œil sur les filles. Environ ta carrure. Plutôt athlétique. Champion de saut en longueur. Il avait coutume, au moment de Noël, de faire une démonstration des différentes manières de prendre son élan. Au milieu du salon. Il avait un faible pour les noix en tout genre. C'était comme ça. Une espèce de penchant, rien d'autre. Il n'en avait jamais assez. Cacahuètes, noix, noix du Brésil, noix de cajou, il n'aurait jamais touché une tranche de cake aux fruits. Il possédait un merveilleux chronomètre. Qu'il s'était procuré à Hong-Kong. Vingt-quatre heures après s'être fait virer de l'Armée du Salut. Il portait le numéro quatre dans la Beckenham Reserves. C'était avant qu'il reçoive sa médaille d'or. Il avait la drôle de manie de transporter son violon dans son dos. Comme un bébé Peau-Rouge. Je crois qu'il y avait un peu de l'Indien, chez lui. Pour être honnête, j'ai jamais pu comprendre comment il en était arrivé à être le frère de mon oncle. J'ai souvent pensé que, peut-être, c'était le contraire. Je veux dire que mon oncle était son frère et que c'était lui qui était mon oncle. Mais je ne l'ai jamais appelé mon oncle. En fait, je l'appelais Sid. Ma mère aussi l'appelait Sid. C'était un sacré bizness. Il était ton

portrait tout craché. Marié à un Chinois et envolé pour la
Jamaïque.

Pause.

J'espère que tu as bien dormi, la nuit dernière.
DAVIES : Écoutez! Je ne sais pas qui vous êtes!
MICK : Dans quel lit as-tu dormi?
DAVIES : Maintenant, écoutez-moi bien…
MICK : Hein?
DAVIES : Celui-là.
MICK : Pas dans l'autre?
DAVIES : Non.
MICK : Espèce de difficile.

Pause.

Ma chambre te plaît?
DAVIES : Votre chambre?
MICK : Oui.
DAVIES : C'est pas votre chambre. Je sais pas qui vous êtes. Je
vous ai encore jamais vu.
MICK : Tu sais, crois-le ou non, mais tu as une sacrée res-
semblance avec un type que j'ai connu à Shoreditch, autre-
fois. À vrai dire, il vivait à Aldgate. J'habitais avec un cousin
à Camden. Ce type, il avait un terrain à Finsbury Park, près
du dépôt d'autobus. Quand je l'ai connu un peu mieux, j'ai
appris qu'il avait été élevé à Putney. Pour moi, ça ne faisait
aucune différence. Je connais pas mal de gens qui sont nés
à Putney. S'ils sont pas nés à Putney, ils sont nés à Fulham. Le
hic, c'est qu'il était pas né à Putney, il avait seulement été
élevé à Putney. Il s'est avéré qu'il était né dans Caledonian
Road, juste avant d'arriver à Nag's Head. Sa vieille maman
habitait toujours à l'*Angel.* Tous les bus passaient juste devant
sa porte. Elle pouvait prendre le 38, le 581, le 30 ou le 38A,
descendre Essex Road en direction de Dalston Junction et y

être en moins de deux. Bon, évidemment, si elle grimpait dans le 30, il la prenait sur Upper Street, lui faisait faire le tour par Highbury Corner et revenait par Saint Paul, mais elle se retrouvait quand même à Dalston Junction pour finir. Je laissais toujours mon vélo dans son jardin quand je partais travailler. Oui, c'était une drôle d'histoire. Il était ton portrait tout craché. Le nez un peu plus fort mais ça fait pas une grande différence.

> *Pause.*

Tu as dormi ici, la nuit dernière ?
DAVIES : Oui.
MICK : Bien dormi ?
DAVIES : Oui !
MICK : Tu as dû te lever au cours de la nuit ?
DAVIES : Non !

> *Pause.*

MICK : Comment tu t'appelles ?
DAVIES, *s'agitant, prêt à se lever* : Bon, maintenant écoutez !
MICK : Comment ?
DAVIES : Jenkins !
MICK : Jen… kins.

> *Davies fait un bond pour se lever. Un rugissement de Mick le renvoie dans les cordes.*

(En criant :) Tu as dormi ici cette nuit ?
DAVIES : Oui…
MICK, *poursuivant en arpentant la pièce* : Tu as dormi comment ?
DAVIES : J'ai dormi…
MICK : Bien dormi ?
DAVIES : Bon, maintenant…
MICK : Quel lit ?
DAVIES : Celui…

MICK : Pas l'autre ?

DAVIES : Non !

MICK : Difficile.

> *Pause.*

(Calmement :) Monsieur est difficile.

> *Pause.*

(De nouveau aimable :) Tu as dormi comment, dans ce lit ?

DAVIES, *tapant du poing sur le sol* : Très bien !

MICK : Ça n'a pas été trop inconfortable ?

DAVIES, *grognant* : Très bien, je vous dis !

> *Mick se lève et s'avance vers lui.*

MICK : Tu es étranger ?

DAVIES : Non.

MICK : Né et élevé dans les îles Britanniques ?

DAVIES : Parfaitement !

MICK : Qu'est-ce qu'ils t'ont appris ?

> *Pause.*

Mon lit t'a plu ?

> *Pause.*

C'est mon lit. Tu devrais te méfier de pas choper un courant d'air.

DAVIES : Du lit ?

MICK : Non, à ton cul, pour l'instant.

> *Davies le considère avec méfiance. Mick se tourne.*
> *Davies se précipite sur le portemanteau et attrape ses vêtements. Mick se retourne promptement et les lui arrache des mains. Davies se lance en avant pour les reprendre. Mick tend un bras en signe d'avertissement.*

Tu as l'intention de t'installer ici ?

DAVIES : Rendez-moi donc mon pantalon.

MICK : Tu t'installes ici pour longtemps ?

DAVIES : Rendez-moi mon putain de pantalon !

MICK : Pourquoi, où comptes-tu aller ?

DAVIES : Donnez-le-moi et je m'en vais, je m'en vais à Sidcup !

Mick gifle Davies plusieurs fois avec son pantalon.
Davies bat en retraite.
Pause.

MICK : Tu sais, tu me rappelles un type sur qui je suis tombé l'autre jour, juste de l'autre côté de la bretelle de Guildford...

DAVIES : On m'a amené ici !

Pause.

MICK : Pardon ?

DAVIES : On m'a amené ici ! On m'a amené ici !

MICK : Amené ici ? Qui t'a amené ici ?

DAVIES : L'homme qui vit ici... il...

Pause.

MICK : Baratineur.

DAVIES : On m'a amené ici, la nuit dernière... rencontré dans un café... je travaillais... j'ai été viré... là où je travaillais... ce type m'a sauvé d'une bagarre, il m'a amené ici, il m'a amené ici tout droit.

Pause.

MICK : J'ai bien peur que tu sois qu'un fieffé baratineur, tu sais. T'es en train de parler au propriétaire. Cette chambre est la mienne. Tu es dans ma maison.

DAVIES : C'est la sienne... il s'inquiétait pour moi... il...

MICK, *indiquant le lit de Davies* : C'est mon lit.

DAVIES : Et celui-là, alors ?

MICK : C'est le lit de ma mère.

DAVIES : Ben, elle était pas dedans la nuit dernière !

MICK, *s'avançant vers lui* : Ne fais pas le malin, fils, ne fais pas le malin. Garde bien tes distances avec ma vieille maman.

DAVIES : Je suis pas… J'ai pas…

MICK : Ne t'aventure pas trop loin, l'ami, ne commence pas à prendre des libertés avec ma vieille mère, ayons un peu de respect.

DAVIES : J'ai du respect, j'en ai, vous trouverez personne qui en a plus que moi.

MICK : Okay, alors arrête de me raconter des blagues.

DAVIES : Bon, écoutez-moi, je vous ai encore jamais vu, pas vrai ?

MICK : Et t'as encore jamais vu ma mère non plus, je suppose ?

Pause.

Je crois que j'en arrive à la conclusion que tu n'es qu'une vieille fripouille. Tu n'es rien d'autre qu'une vieille crapule.

DAVIES : Non mais là, attendez…

MICK : Écoute, fils. Écoute, fiston. Tu pues.

DAVIES : Vous avez pas le droit de…

MICK : Tu empestes toute la baraque. Tu n'es qu'un vieil arnaqueur, y a pas à sortir de là. Un vieux pourri. Tu n'as pas ta place dans un endroit aussi chouette qu'ici. Tu n'es qu'un foutu sauvage. Sincèrement. Tu n'es pas payé pour traîner dans les appartements vides. Je pourrais en tirer sept livres par semaine si je voulais. Je trouve preneur dès demain. Trois cent cinquante par an, sans les charges. Sans discuter. Je veux dire, si c'est dans tes moyens, n'hésite pas à l'annoncer. C'est pour toi. Mobilier et installations, je prendrai quatre cents, ou l'offre la plus proche. Valeur locative imposable de quatre-vingt-dix livres par an. Il faut compter environ cinquante pour l'eau, le chauffage et la lumière. Ça irait chercher dans les huit cent quatre-vingt-dix pour celui qui serait vraiment emballé.

Tu n'as qu'un mot à dire et mon notaire te rédige un contrat.
Sinon, j'ai ma camionnette dehors, je peux te conduire tout
droit au commissariat en cinq minutes, te faire boucler pour
violation de domicile, délit d'intention, cambriolage de jour,
chapardage, vol et empuantissement de baraque. Qu'en dis-
tu ? À moins que tu n'envisages sérieusement une franche
acquisition. Bien entendu, je commencerais par demander à
mon frère de t'arranger tout ça. Mon frère est un décorateur
de première. Il le fera pour toi. Si tu as besoin de plus de
place, il y a quatre chambres supplémentaires à l'étage qui ne
demandent que ça. Salle de bains, salon, chambre et nursery.
Tu pourrais t'en servir comme bureau. Le frère dont je t'ai
parlé, il est sur le point de s'y attaquer. Oui, d'un jour à
l'autre. Alors, qu'en dis-tu ? Disons huit cents et quelques
pour cette pièce ou trois mille pour tout l'étage du dessus.
D'un autre côté, si tu préfères considérer l'affaire sur le long
terme, je connais une compagnie d'assurances à West Ham
qui serait ravie de conclure le marché en ton nom. Sans
condition, dans la transparence et dans les règles, réputation
sans tache ; vingt pour cent d'intérêt, dépôt cinquante pour
cent ; premiers versements, rappels, allocations familiales, divi-
dendes, remises de loyer pour bon voisinage, bail de six mois,
examen annuel des pièces justificatives, thé servi à convenance,
cessions de parts, prolongations de couvertures, indemnités
de départ, indemnités bienveillantes contre les Émeutes,
Trouble de l'Ordre Public, Perturbations de l'Emploi,
Orages, Tempêtes, Foudre, Brigandage ou Bétail, le tout faisant l'objet d'un ou deux contrôles quotidiens. Bien entendu,
il faudra une déclaration signée de ton médecin traitant
comme quoi tu disposes de la bonne santé requise pour porter le chapeau, on est bien d'accord ? T'es à quelle banque ?

Pause.

Hein, t'es à quelle banque ?

La porte s'ouvre. Aston entre. Mick se tourne et laisse tomber le pantalon. Davies le ramasse et l'enfile. Aston, après un coup d'œil aux deux autres, s'avance vers son lit, y dépose le sac qu'il portait, s'assoit et reprend sa réparation du grille-pain. Davies bat en retraite dans son coin. Mick s'assoit dans le fauteuil.
Silence.
Une goutte tombe dans le seau. Ils lèvent tous les trois les yeux.
Silence.

Y a toujours cette fuite.
ASTON : Oui.

Pause.

Ça vient du toit.
MICK : Du toit, hein ?
ASTON : Oui.

Pause.

Il va falloir que je colmate ça au goudron.
MICK : Tu vas colmater ça au goudron ?
ASTON : Oui.
MICK : Colmater quoi ?
ASTON : Les fissures.

Pause.

MICK : Tu vas colmater les fissures du toit au goudron.
ASTON : Oui.

Pause.

MICK : Tu crois que ça va marcher ?
ASTON : Ça va marcher pendant un moment.
MICK : Mmm.

Pause.

DAVIES, *de façon abrupte* : Qu'est-ce que vous faites… ?

> *Les deux autres le regardent.*

Qu'est-ce que vous faites… quand le seau est plein ?

> *Pause.*

ASTON : On le vide.

> *Pause.*

MICK : J'étais en train de dire à mon ami que tu allais bientôt t'attaquer à la déco des chambres.

ASTON : Oui.

> *Pause.*

(*À Davies :*) J'ai récupéré votre sac.

DAVIES : Oh. (*Traversant la pièce pour le prendre :*) Oh merci, m'sieur, merci. Ils vous l'ont donné, non ?

> *Il retraverse la pièce avec son sac.*
> *Mick se lève et le lui arrache des mains.*

MICK : Qu'est-ce que c'est que ça ?

DAVIES : Donnez-le-moi, c'est mon sac !

MICK, *l'esquivant* : J'ai déjà vu ce sac quelque part.

DAVIES : C'est mon sac !

MICK, *lui échappant* : Ce sac me semble très familier.

DAVIES : Qu'est-ce que vous voulez dire ?

MICK : Tu l'as trouvé où ?

ASTON, *se levant et s'adressant aux deux autres* : Bon, laissez tomber.

DAVIES : C'est à moi.

MICK : À qui ?

DAVIES : C'est le mien ! Dites-lui que c'est le mien !

MICK : C'est ton sac ?

DAVIES : Donnez-le-moi !

ASTON : Donne-lui son sac.

MICK : Quoi ? Que je lui donne quoi ?

ASTON : Ce putain de sac !

MICK, *glissant le sac derrière la cuisinière* : Quel sac ? *(À Davies :)* Quel sac ?

DAVIES, *s'avançant* : Eh là !

MICK, *lui faisant face* : Où vas-tu ?

DAVIES : Je vais chercher… mon vieux…

MICK : Fais gaffe à la marche, fiston ! Tu frappes à la porte quand y a personne. Essaye de pas trop pousser. Tu arrives en trombe dans une propriété privée et tu laisses traîner tes pattes partout où elles peuvent traîner. Ne dépasse pas les bornes, fils.

Aston ramasse le sac.

DAVIES : Espèce de sale voleur… espèce d'enfoiré de voleur… laisse-moi prendre mon…

ASTON : Tenez. *(Aston rend le sac à Davies.)*

> *Mick l'attrape. Aston lui reprend.*
> *Mick l'attrape. Davies se lance dessus.*
> *Aston le prend et le donne à Davies. Mick s'en empare.*
> *Pause.*
> *Aston le prend. Davies le prend. Mick le prend. Davies se jette dessus. Aston le prend.*
> *Pause.*
> *Aston le donne à Mick. Mick le donne à Davies. Davies le serre contre lui.*
> *Pause.*
> *Mick regarde Aston. Davies s'écarte avec le sac. Il le laisse tomber.*
> *Pause.*
> *Ils le regardent. Celui-ci ramasse le sac. S'avance vers son lit, s'assoit.*
> *Aston regagne le sien, s'assoit, et commence à rouler une cigarette.*

Mick reste sans bouger.
Pause.
Une goutte tombe dans le seau. Ensemble, ils lèvent les
yeux.
Pause.

Comment ça s'est passé à Wembley ?
DAVIES : Eh bien, j'y suis pas allé.

Pause.

Non. J'ai pas pu.

Mick se dirige vers la porte et sort.

ASTON : J'ai vraiment pas eu de pot, avec cette scie sauteuse.
Quand je suis arrivé, elle était plus là.

Pause.

DAVIES : C'était qui, ce dingue ?
ASTON : C'est mon frère.
DAVIES : Vraiment ? C'est un petit rigolo, hein ?
ASTON : Mmm.
DAVIES : Oui… c'est un vrai marrant.
ASTON : Il a le sens de l'humour.
DAVIES : Oui, j'ai remarqué.

Pause.

C'est un vrai rigolo, ce gars-là, ça se voit tout de suite.

Pause.

ASTON : Oui, il a tendance… il a tendance à voir le côté amu-
sant des choses.
DAVIES : Enfin, il a le sens de l'humour, pas vrai ?
ASTON : Oui.
DAVIES : Oui, on peut dire ça.

Pause.

Au premier coup d'œil que j'ai posé sur lui, j'ai su qu'il avait sa propre manière de voir les choses.

> *Aston se lève, s'avance vers un des tiroirs, à droite, en sort la statuette de Bouddha qu'il place sur la cuisinière.*

ASTON : Je suis censé remettre le haut en état pour lui.

DAVIES : Quoi... vous voulez dire... vous voulez dire que c'est sa maison ?

ASTON : Oui. Je suis censé refaire toute la déco pour lui à l'étage. En faire un appartement.

DAVIES : Il est dans quoi ?

ASTON : Il est dans le bâtiment. Il a sa propre camionnette.

DAVIES : Mais il vit pas ici, non ?

ASTON : Quand j'aurai construit cette cabane, dehors... je pourrai me consacrer un peu plus à l'appartement, vous voyez... Peut-être que je peux bricoler deux ou trois trucs vite fait. *(Il va à la fenêtre.)* Je peux travailler de mes mains, vous voyez. J'en suis tout à fait capable. Je n'en étais pas conscient. Mais je peux faire toutes sortes de choses maintenant, avec mes mains. Vous savez, du travail manuel. Quand j'aurai construit cette cabane, dehors... j'aurai un atelier, vous voyez. Je... je pourrai faire un peu de menuiserie. De la menuiserie toute simple, pour commencer. En travaillant avec... du bon bois.

> *Pause.*

Bien sûr, il y a beaucoup à faire, ici. Ce que je pense, d'ailleurs, je pense que je vais monter une cloison... dans une des chambres au-dessus. Je pense que ça ira. Vous savez... il y a ces espèces de paravents... vous savez... de style oriental. Ça peut servir à cloisonner une chambre. La diviser en deux. Soit je fais ça, ou soit je monte une cloison. Je pourrais même les bricoler moi-même, vous voyez, si j'avais un atelier.

Pause.

En tout cas, je crois que je me suis décidé pour la cloison.

Pause.

DAVIES : Hé, écoutez-moi, j'étais en train de penser. C'est pas mon sac.

ASTON : Oh. Non?

DAVIES : Non, c'est pas mon sac. Mon sac, c'est un genre de sac complètement différent, vous voyez. Je sais ce qu'ils ont fait. Ce qu'ils ont fait, ils ont gardé mon sac et ils vous en ont donné un autre, complètement différent.

ASTON : Non... ce qui s'est passé, quelqu'un est parti avec votre sac.

DAVIES, *se levant* : C'est bien ce que je dis!

ASTON : De toute façon, j'ai trouvé celui-là ailleurs. Il y a quelques... quelques vêtements à l'intérieur. J'ai eu le tout pour pas cher.

DAVIES, *ouvrant le sac* : Y a des chaussures?

> *Il tire du sac deux chemises à carreaux, rouge vif et vert vif. Les examine à bout de bras.*

À carreaux.

ASTON : Oui.

DAVIES : Oui... eh bien, je connais ce genre de chemise, vous voyez. Ce genre de chemise, en hiver, on va pas loin avec. Je veux dire, c'est une chose que je sais d'expérience. Non, ce qu'il me faut, c'est le genre de chemise à rayures, une solide et bonne chemise, avec des rayures qui descendent. De haut en bas. C'est tout ce que je demande. *(Il sort du sac une veste d'intérieur en velours cramoisi.)* C'est quoi?

ASTON : Une veste d'intérieur.

DAVIES : Une veste d'intérieur? *(Il fait rouler l'étoffe entre ses doigts.)* Voilà un truc pas trop mal. Voyons voir comment ça me va.

Il l'essaye.

Vous auriez pas une glace, des fois ?

ASTON : Je crois pas.

DAVIES : Bon, ça me va pas trop mal. Ça donne quoi, à votre avis ?

ASTON : Ça paraît bien.

DAVIES : Bon, alors pour ça, je dis pas non.

Aston saisit la prise et l'examine.

Non, je vais pas dire non à ce machin.

Pause.

ASTON : Vous pourriez... être gardien ici, si ça vous dit.

DAVIES : Quoi ?

ASTON : Vous pourriez... vous occuper de la maison, si ça vous dit... vous savez, les escaliers, l'étage, l'entrée, surveiller tout ça. Astiquer les sonnettes.

DAVIES : Les sonnettes ?

ASTON : Je vais en installer quelques-unes en bas, à l'entrée. En cuivre.

DAVIES : Du gardiennage, hein ?

ASTON : Oui.

DAVIES : Ma foi, je... j'ai encore jamais fait de gardiennage, vous savez... j'entends... j'ai jamais... ce que je veux dire... j'ai encore jamais été gardien.

Pause.

ASTON : Alors, ça vous dirait de le devenir ?

DAVIES : Ma foi, j'estime... eh bien, j'ai besoin de savoir... vous savez...

ASTON : Quel genre de...

DAVIES : Oui, quel genre de... vous savez...

Pause.

ASTON : Eh bien, je veux dire...

DAVIES : Je veux dire, il faudrait que je... il faudrait que je...

ASTON : Eh bien, je pourrais vous expliquer...

DAVIES : C'est... c'est ça... vous voyez... vous me suivez ?

ASTON : Quand le moment sera venu...

DAVIES : Je veux dire, c'est là où je veux en venir, vous voyez...

ASTON : Plus ou moins précisément ce que vous...

DAVIES : Vous voyez, ce que je veux dire... là où je veux en venir... je veux dire, quel genre de travaux...

Pause.

ASTON : Eh bien, des trucs comme les escaliers... et aussi les... les sonnettes.

DAVIES : Mais il y aurait la question... n'est-ce pas... il y aurait la question des balais... n'est-ce pas ?

ASTON : Oui, et bien sûr, il vous faudrait également des brosses.

DAVIES : Il faudrait des ustensiles... vous voyez... il faudrait pas mal d'ustensiles...

> *Aston décroche une blouse blanche d'un clou au-dessus de son lit et la présente à Davies.*

ASTON : Vous pourriez mettre ça, si vous voulez.

DAVIES : Eh bien... c'est chouette, non ?

ASTON : Ça protégerait de la poussière.

DAVIES, *l'enfilant* : Oui, ça protégerait de la poussière, c'est sûr. Pas mal. Merci beaucoup, m'sieur.

ASTON : Vous voyez, ce qu'on pourrait faire, on pourrait... je pourrais installer une sonnette à l'entrée, sur la rue, avec « Gardien » écrit dessus. Et vous pourriez répondre aux gens.

DAVIES : Oh, alors là j'en sais rien.

ASTON : Pourquoi pas ?

DAVIES : Eh bien, je veux dire, on sait jamais qui peut se pointer devant la porte, n'est-ce pas ? Je dois prendre un minimum de précautions.

ASTON : Pourquoi ? On en a après vous ?

DAVIES : Après moi ? Eh bien, ce connard d'Écossais pourrait en avoir après moi, non ? Imaginez un peu, j'entendrais la sonnette, je descendrais, j'ouvrirais la porte, et qui serait là, ça pourrait être n'importe qui. Je pourrais l'avoir dans le cul aussi facilement que ça, mon vieux. Ou peut-être à cause de ma carte, je veux dire visez-moi ça, me voilà, avec mes quatre tampons, sur cette carte, tenez, regardez, quatre tampons, c'est tout ce que j'ai, j'en ai pas un de plus, c'est tout ce que j'ai, ils sonnent où c'est marqué « Gardien » et ils me coincent, voilà ce qui va se passer, on me laissera pas la moindre chance. Bien entendu, j'ai un tas d'autres cartes qui traînent à droite et à gauche, mais ils en savent rien, et je peux pas leur dire, hein, parce que là ils s'apercevraient que je me balade sous un nom d'emprunt. Vous voyez, le nom que je porte, aujourd'hui, c'est pas mon vrai nom. Mon vrai nom n'est pas celui que j'utilise, vous comprenez. C'est pas le même. Vous voyez, le nom sous lequel je me présente aujourd'hui, c'est pas mon vrai nom. C'est un nom d'emprunt.

Silence.
LA LUMIÈRE BAISSE PROGRESSIVEMENT JUSQU'AU NOIR.
PUIS UNE FAIBLE LUEUR APPARAÎT À LA FENÊTRE.
Une porte claque.
Bruit de clé dans la porte.
Davies entre, referme la porte et essaye de faire fonctionner l'interrupteur.

DAVIES, *grognant* : Quoi encore ? *(Il essaye de nouveau.)* Y a quoi avec cette putain de lumière ? *(Essayant de nouveau.)* Aaah. Me dites pas que cette putain de lumière est naze, maintenant.

Pause.

Qu'est-ce que je fais? Sans cette putain de lumière. J'y vois que dalle.

Pause.

Je fais quoi, maintenant? *(Il se déplace, trébuche.)* Ah, bon Dieu, c'est quoi? De la lumière. Attends voir.

Il cherche des allumettes dans sa poche, en tire une boîte, en allume une. Elle s'éteint. La boîte tombe.

Aaah! Où elle est? *(S'immobilisant.)* Où est cette foutue boîte?

On donne un coup de pied dans la boîte.

C'est quoi, ça? C'est quoi? Qui est là? C'est quoi?

Pause. Il se déplace.

Où est ma boîte? Elle était là. Qui est là? Qui l'a enlevée?

Silence.

Allez, quoi! Y a quelqu'un? Qui c'est qui m'a pris ma boîte?

Pause.

Qui est là!

Pause.

J'ai un couteau sur moi! Je suis prêt. Alors amenez-vous, montrez-vous!

Il change de place, trébuche, tombe et pousse un cri. Silence.
Faible gémissement de Davies. Il se relève.

D'accord!

Il se tient debout, immobile. Respirant bruyamment. Soudain, l'aspirateur se met en marche. Guidé par une silhouette. Le suceur s'avance, glissant sur le sol en direc-

*tion de Davies qui sursaute, plonge de côté pour l'éviter
et tombe, le souffle coupé.*

Ah, ah, ah, ah, ah, ah! Allez-vous-ennnnn!

> *L'aspirateur s'arrête. La silhouette saute sur le lit
> d'Aston.*

Je vous attends! Je suis... je suis... je suis là!

> *La silhouette débranche l'aspirateur de la douille et y
> fixe l'ampoule. La lumière se fait. Davies est plaqué au
> mur de droite, un couteau à la main. Mick est debout
> sur le lit, tenant le fil de l'aspirateur.*

MICK : Je suis en plein nettoyage de printemps. *(Il descend du
lit).* Il y avait une prise murale pour l'aspirateur. Mais elle ne
marche plus. J'ai dû me brancher dans la douille de l'am-
poule. *(Il range l'aspirateur sous le lit d'Aston.)* Qu'est-ce que
vous en dites? J'en ai donné un bon coup.

> *Pause.*

On s'y met à tour de rôle, mon frère et moi, tous les quinze
jours, on fait un nettoyage complet. J'ai travaillé tard, ce soir,
je viens juste d'arriver. Mais comme c'est mon tour, je me suis
dit que je ferais mieux de m'y mettre.

> *Pause.*

C'est pas que j'habite ici, en ce moment. J'y habite pas. En
fait, je vis ailleurs. Mais après tout, je suis responsable de l'en-
tretien des lieux, hein? Je peux pas m'empêcher d'être fier
que la maison soit bien tenue.

> *Il s'approche de Davies et indique le couteau.*

Pour quelle raison vous agitez ça dans tous les sens?

DAVIES : Un pas de plus...

MICK : Je suis désolé si je vous ai fait peur. Mais vous savez,
c'est aussi à vous que je pensais. Je veux dire, à l'invité de mon

frère. Nous devons penser à votre confort, non ? Que la poussière ne vienne pas vous chatouiller les narines. À propos, combien de temps vous pensez rester ici ? Justement, j'allais suggérer de réduire votre loyer, de le ramener à une somme symbolique, je veux dire, jusqu'à ce que vous ayez trouvé quelque chose. Simplement symbolique, rien de plus.

Pause.

Maintenant, si vous devenez vraiment agressif, je vais devoir reconsidérer toute ma proposition.

Pause.

Eh, vous avez pas dans l'idée d'exercer des violences contre moi, j'espère. Vous êtes pas du genre violent, j'espère.

DAVIES, *avec véhémence* : J'ai pas pour habitude de la ramener, mon vieux. Mais si on me cherche, on me trouve.

MICK : Je veux bien le croire.

DAVIES : Vous pouvez. J'ai roulé ma bosse, vu ? Vous savez ce que ça veut dire ? Je suis pas contre une petite plaisanterie de temps en temps, mais tout le monde vous dira... qu'il faut pas venir me chercher.

MICK : Oui, je vous reçois cinq sur cinq.

DAVIES : On peut me chatouiller jusqu'à un certain point... mais...

MICK : Pas plus loin.

DAVIES : Exactement.

Mick s'assoit sur le bric-à-brac, vers la droite.

Vous faites quoi ?

MICK : Non, je veux juste dire que... je suis très impressionné par ça.

DAVIES : Hein ?

MICK : Je suis très impressionné par ce que vous venez de me dire.

Pause.

Oui, c'est vraiment impressionnant.

Pause.

En tout cas, je suis impressionné.

DAVIES : Vous m'avez bien enregistré, alors ?

MICK : Oui, très bien. Je crois que nous nous comprenons l'un et l'autre.

DAVIES : Hein ? Bon... je vais vous dire... je... j'aimerais en être sûr. Vous vous êtes bien payé ma tête, vous savez. Je sais pas pourquoi. Je vous ai jamais rien fait.

MICK : Non, vous savez ce qui s'est passé ? Nous sommes tout bêtement partis du mauvais pied. Voilà ce qui s'est passé.

DAVIES : Ouais, je veux.

Davies rejoint Mick sur le bric-à-brac.

MICK : Ça vous dit, un sandwich ?

DAVIES : Quoi ?

MICK, *sortant des sandwichs de sa poche* : Prenez-en un.

DAVIES : Essayez pas de m'avoir.

MICK : Non, vous ne me comprenez toujours pas. Je peux pas m'empêcher d'être intéressé par les amis de mon frère. Quoi, vous êtes bien un ami de mon frère, non ?

DAVIES : Eh bien, je... j'irais pas jusqu'à dire ça.

MICK : Vous diriez pas qu'il est votre ami ?

DAVIES : Ma foi, amis, on l'est pas tant que ça. J'entends, il m'a jamais rien fait, mais je dirais pas qu'il est particulièrement mon ami. C'est un sandwich à quoi ?

MICK : Au fromage.

DAVIES : Ça me va bien.

MICK : Prenez-en un.

DAVIES : Merci, m'sieur.

MICK : Ça me fait de la peine d'apprendre que mon frère comptait pas parmi vos amis.

DAVIES : Ah mais si ! ah mais si ! j'ai jamais dit qu'il était pas...

MICK, *tirant une salière de sa poche* : Du sel ?

DAVIES : Non merci. *(Il mord dans son sandwich.)* C'est juste que j'arrive pas vraiment... à le cerner.

MICK, *tâtant ses poches* : J'ai oublié le poivre.

DAVIES : J'arrive tout simplement pas à le piger, c'est tout.

MICK : Je dois avoir un peu de betterave quelque part. Je sais plus où.

> *Pause.*
>
> *Davies mâche son sandwich sous le regard de Mick qui finalement se lève et s'éloigne tranquillement vers le devant de la scène.*

Mmm... écoutez... je peux vous demander un conseil ? Je veux dire, vous vous y connaissez. Je peux vous demander conseil à propos de quelque chose ?

DAVIES : Vous gênez pas.

MICK : Eh bien, ce qu'il y a, vous voyez, il y a que je suis... un peu embêté au sujet de mon frère.

DAVIES : Votre frère ?

MICK : Oui... vous voyez, son problème c'est...

DAVIES : C'est quoi ?

MICK : Eh bien, c'est pas une chose très facile à dire...

DAVIES, *se levant, s'avançant à son tour* : Allez-y, dites-moi tout.

> *Mick le regarde.*

MICK : Il aime pas travailler.

> *Pause.*

DAVIES : Sans déconner !

MICK : Non, il aime tout simplement pas travailler, c'est ça son problème.

DAVIES : C'est vrai ?

MICK : C'est un truc terrible à dire à propos de son propre frère.

DAVIES : Ouais.

MICK : Ça lui flanque tout simplement la frousse. Vraiment la frousse.

DAVIES : Je vois le genre.

MICK : Vous connaissez ce genre-là ?

DAVIES : J'en ai connu.

MICK : Je veux dire, j'aimerais qu'il s'émancipe un peu.

DAVIES : Ça va de soi, vieux.

MICK : Quand on a un frère aîné, on veut le pousser en avant, on veut le voir faire son chemin. Je veux pas le voir se tourner les pouces, il se fait du mal et rien de plus. Voilà ce que je pense.

DAVIES : Oui.

MICK : Mais il veut pas se coller au boulot.

DAVIES : Il aime pas le boulot.

MICK : Le boulot lui fait peur.

DAVIES : C'est bien ce qui me semble.

MICK : Vous connaissez ce genre de type, non ?

DAVIES : Moi ? Je connais le genre.

MICK : Oui.

DAVIES : Je connais le genre. J'en ai croisé quelques-uns.

MICK : Ça m'angoisse vraiment. Vous comprenez, je travaille : je suis commerçant. Je possède ma propre fourgonnette.

DAVIES : Vraiment ?

MICK : Il était censé faire un petit travail pour moi... Je le garde ici pour qu'il me fasse un petit travail... mais je sais pas... je dois finir par admettre que c'est pas un bosseur de première.

Pause.

Qu'est-ce que vous me conseillez ?

DAVIES : Ma foi... c'est un drôle de numéro, votre frère.

MICK : Quoi ?

DAVIES : Je disais, c'est un drôle... quand même un drôle de numéro, votre frère.

Mick le dévisage.

MICK : Drôle ? Pourquoi ?
DAVIES : Eh bien… il est drôle…
MICK : Qu'est-ce qu'il a de drôle ?

Pause.

DAVIES : De pas aimer travailler.
MICK : Qu'est-ce qu'il y a de drôle à ça ?
DAVIES : Rien.

Pause.

MICK : Je dirais pas que c'est drôle.
DAVIES : Moi non plus.
MICK : Commencez pas à vous montrer trop critique.
DAVIES : Non, non, j'en avais pas l'intention, j'avais pas… je disais seulement…
MICK : Soyez pas trop désinvolte.
DAVIES : Écoutez, tout ce que j'ai dit, c'était…
MICK : Fermez-la ! *(Brusquement.)* Écoutez ! J'ai une proposition à vous faire. J'envisage de prendre toutes les affaires en main, dans cette maison. Je crois que ça pourrait marcher de façon un peu plus efficace. J'ai un tas d'idées, tout un tas de projets. *(Il mesure Davies du regard.)* Ça vous dirait de vous installer ici, en tant que gardien ?
DAVIES : Comment ça ?
MICK : Je vais être tout à fait franc avec vous. Je serais plus tranquille si je pouvais compter sur un homme comme vous à demeure, un homme de confiance qui garderait un œil à droite et à gauche.
DAVIES : Attendez voir… attendez une minute… Je… j'ai encore jamais fait de gardiennage, vous savez…
MICK : Vous inquiétez pas pour ça. À mes yeux, vous semblez être le genre d'homme tout à fait capable.
DAVIES : Je suis le genre d'homme tout à fait capable. J'en-

tends par là, on m'a fait des tas de propositions à l'époque, vous savez, y a pas à sortir de là.

MICK : Oui, j'ai pu m'en rendre compte, quand vous avez sorti ce couteau, j'ai bien vu que vous laisseriez personne vous chercher des noises.

DAVIES : Personne a intérêt à me chercher des noises, vieux.

MICK : Je veux dire, vous avez fait votre service, non ?

DAVIES : Fait quoi ?

MICK : Vous avez servi dans l'armée. Ça se voit à votre allure.

DAVIES : Oh… oui. J'y ai passé la moitié de ma vie, mon vieux. De l'autre côté des mers… genre… sous les drapeaux… que oui.

MICK : Aux colonies, n'est-ce pas ?

DAVIES : J'y suis allé. J'ai été un des premiers.

MICK : C'est ça. Vous êtes exactement l'homme qu'il me faut.

DAVIES : Pour quoi faire ?

MICK : Gardien.

DAVIES : Oui, bon… attendez… écoutez… qui est le proprié-taire, ici, lui ou vous ?

MICK : Moi. Je suis le propriétaire. J'ai les documents pour le prouver.

DAVIES : Ah… *(avec fermeté.)* Bon, écoutez… ça me dérange pas de faire un peu de gardiennage, ça me gênerait pas de m'occuper des lieux, pour vous.

MICK : Bien entendu, nous devons convenir d'un petit accord financier, mutuellement profitable.

DAVIES : Allez, je vous laisse calculer ça.

MICK : Merci. Il y a juste une chose.

DAVIES : C'est quoi ?

MICK : Vous pouvez me fournir des références ?

DAVIES : Hein ?

MICK : Juste afin de rassurer mon notaire.

DAVIES : J'ai tout un tas de références. Descendre à Sidcup

demain matin, c'est tout ce que j'ai à faire. Là-bas, je peux avoir toutes les références que je veux.

MICK : Où ça ?

DAVIES : À Sidcup. Il y a pas seulement mes références, là-bas, il y a aussi tous mes papiers, là-bas. Je connais ce coin comme le fond de ma poche. Je vais y descendre, de toute façon, voyez ce que je veux dire, il faut absolument que j'y aille, sinon je suis foutu.

MICK : Donc, si nécessaire, on peut toujours se procurer ces références.

DAVIES : Je vous dis, je m'y rends incessamment sous peu... Je devais y aller aujourd'hui, mais je... j'attends une éclaircie.

MICK : Ah.

DAVIES : Dites. Vous pourriez pas me trouver une bonne paire de chaussures, des fois ? J'ai sacrément besoin d'une bonne paire de chaussures. Je peux aller nulle part si j'ai pas une bonne paire de chaussures, vous voyez ? Vous pensez qu'il y a une chance de pouvoir m'en trouver une paire ?

> *LES LUMIÈRES BAISSENT JUSQU'AU NOIR COMPLET.*
>
> *IL FAIT JOUR. C'est le matin.*
>
> *Aston enfile son pantalon sur ses caleçons. Légère grimace. Il jette un coup d'œil autour de son lit, prend une serviette pendue à une tringle, la secoue. Il la repose, s'avance vers Davies et le réveille. Davies s'assoit brusquement.*

ASTON : Vous avez dit que vous vouliez que je vous réveille.

DAVIES : Pourquoi ça ?

ASTON : Vous avez dit que vous pensiez aller à Sidcup.

DAVIES : Ouais, ça serait pas une mauvaise chose, que j'y aille.

ASTON : On dirait qu'il fait pas très beau.

DAVIES : Ouais, bon, c'est râpé, hein ?

ASTON : Je… je n'ai pas très bien dormi, une fois de plus.

DAVIES : J'ai affreusement mal dormi.

Pause.

ASTON : Vous faisiez…

DAVIES : Affreusement. Il a plu un peu, cette nuit, non ?

ASTON : Juste quelques gouttes.

Il s'avance vers son lit, prend une petite planche qu'il se met à poncer.

DAVIES : Je m'en doutais. J'ai reçu de l'eau sur la tête.

Pause.

En tout cas, j'avais un courant d'air en plein sur la tête.

Pause.

On pourrait pas fermer cette fenêtre, derrière le sac ?

ASTON : On pourrait.

DAVIES : Bon alors, où est le problème, alors ? La pluie me tombe tout droit sur le crâne.

ASTON : On a besoin d'un peu d'air.

Davies sort de son lit. Il porte pantalon, gilet et veste.

DAVIES, *mettant ses sandales* : Écoutez. J'ai passé toute ma vie à l'air, mon petit vieux. Question air, vous pouvez rien m'apprendre. Je dis simplement une chose, y a trop d'air qui rentre par cette fenêtre quand je suis en train de dormir.

ASTON : Ça devient vraiment étouffant, ici, quand la fenêtre est pas ouverte.

Aston traverse la pièce en direction du fauteuil, pose la planche en travers et continue à la passer au papier de verre.

DAVIES : Oui, mais écoutez, vous écoutez pas ce que je vous dis. Cette saloperie de pluie, vieux, elle me tombe en plein sur le crâne. Ça me gâche mon sommeil. Je pourrais attraper

la mort avec ça, avec ce courant d'air. C'est tout ce que je dis.
Vous avez juste qu'à fermer cette fenêtre et personne va attraper froid, c'est tout ce que je dis.

Pause.

ASTON : Je pourrais pas dormir ici sans cette fenêtre ouverte.
DAVIES : Oui, mais moi, dans tout ça ? Quoi... si vous faisiez l'effort de vous mettre à ma place ?
ASTON : Pourquoi vous dormez pas dans l'autre sens ?
DAVIES : Qu'est-ce que vous voulez dire ?
ASTON : Dormir avec les pieds du côté de la fenêtre.
DAVIES : Ça avancerait à quoi ?
ASTON : La pluie ne vous tomberait plus sur la tête.
DAVIES : Non, je pourrais pas faire ça. Je pourrais pas faire ça.

Pause.

Je veux dire, je me suis habitué à dormir de ce côté. C'est pas moi qui dois changer, c'est cette fenêtre. Regardez, il pleut à présent. Regardez-moi ça. Comment que ça tombe.

Pause.

ASTON : Je crois que je vais aller faire un tour du côté de Goldhawk Road. J'ai parlé à un type, là-bas. Il avait une table à découpe. Elle m'a plutôt semblé en bon état. Je pense pas qu'elle lui servait à grand-chose.

Pause.

Je crois que je vais aller y faire un tour.
DAVIES : Écoutez-moi ça ! Ma virée à Sidcup, c'est râpé. Eh... et si on la fermait, maintenant, cette fenêtre ? Avant que ça rentre ici.
ASTON : Fermez-la un moment.

Davies ferme la fenêtre et regarde dehors.

DAVIES : Y'a quoi sous cette bâche, dehors ?
ASTON : Du bois.

DAVIES : Pour quoi faire ?

ASTON : Pour ma cabane.

Davies s'assoit sur son lit.

DAVIES : Vous êtes toujours pas tombé sur cette paire de chaussures que vous deviez me trouver, des fois ?

ASTON : Oh. Non. Je vais voir si je peux en trouver aujourd'hui.

DAVIES : Je peux pas sortir par ce temps avec ça aux pieds, quand même. Je peux même pas sortir pour une tasse de thé.

ASTON : Il y a un café juste en bas de la rue.

DAVIES : Ça se peut bien, l'ami.

Durant le discours d'Aston, la pièce s'assombrit au fur et à mesure.
Vers la fin, on ne distingue plus que celui-ci.
Davies et tout le reste de la pièce ont disparu dans l'ombre. Le déclin de la lumière doit être aussi gradué, prolongé et discret que possible.

ASTON : J'y allais assez souvent. Oh, il y a de ça des années, maintenant. Mais j'ai arrêté. J'aimais bien cet endroit. J'y ai traîné un sacré bout de temps. C'était avant mon départ. Juste avant. Je pense que... c'est pas sans rapport avec cet endroit. Ils étaient tous... bien plus vieux que moi. Mais ils m'écoutaient toujours. Je croyais... qu'ils comprenaient ce que je disais. Je veux dire, j'avais pris l'habitude de leur parler. Je parlais trop. C'était ça, l'erreur. Même chose à l'usine. Que je sois ici, ou pendant les pauses, je racontais... toutes sortes de choses. Et ces hommes, ils m'écoutaient, chaque fois que... j'avais un truc à dire. C'était super. L'ennui, c'est que j'avais comme des hallucinations. C'était pas des hallucinations, c'était... j'avais l'impression que je pouvais voir les choses... très clairement... chaque chose... était si claire... tout était... tout devenait très calme... tout était très silencieux... tout ce... toute

cette quiétude... et... cette vision si claire... c'était... mais
peut-être que je me trompais. En tout cas, quelqu'un a dû
dire quelque chose. J'étais au courant de rien. Et... une
espèce de mensonge a dû se mettre à circuler. Et la rumeur
s'est mise à courir. Je trouvais que les gens commençaient à
devenir bizarres. Dans ce café. À l'usine. J'y comprenais rien.
Jusqu'au jour où ils m'ont emmené dans un hôpital, à la sortie de Londres. Ils m'ont... enfermé. Je voulais pas y aller.
Bon... j'ai essayé d'en sortir, plus d'une fois. Mais... c'était
pas très facile. Ils me posaient des questions, là-bas. Ils m'ont
enfermé et posé des tas de questions. Ben, je leur ai dit...
quand ils voulaient le savoir... quelles pensées j'avais en tête.
Mmm. Puis un jour... cet homme... je suppose que c'était un
docteur... le grand chef... du genre plutôt... avisé... même si
j'en étais pas tout à fait sûr. Il m'a fait venir. Il m'a dit... il m'a
expliqué que j'avais quelque chose. Il m'a dit qu'ils avaient
terminé leurs examens. C'est ce qu'il m'a dit. Et il m'a montré une pile de documents en me disant que j'avais quelque
chose, une maladie. Il m'a dit... c'est tout ce qu'il m'a dit,
vous voyez. Vous avez... cette chose. C'est ça, votre maladie.
Et nous avons décidé, il a dit, que dans votre intérêt on ne
pouvait pas faire autrement. Il a dit... mais je ne peux pas...
me rappeler exactement... comment il me l'a présenté... il a
dit, on va faire quelque chose à votre cerveau. Il a ajouté... si
on le fait pas, vous allez rester ici jusqu'à la fin de votre vie,
mais si nous le faisons, vous avez une chance. Vous pourrez
sortir, il a dit, et vivre comme tout le monde. Vous voulez me
faire quoi au cerveau, j'ai demandé. Mais il a juste répété ce
qu'il m'avait dit. Bon, j'étais pas complètement idiot. Je savais
que j'étais mineur. Je savais qu'il pouvait rien me faire sans
obtenir une autorisation. Je savais qu'il devait avoir l'autorisation de ma mère. Alors je lui ai écrit et je lui ai raconté ce
qu'ils essayaient de faire. Mais elle leur a signé leur truc, vous
voyez, elle leur a donné la permission. Je le sais parce qu'ils

m'ont montré sa signature quand j'ai mentionné l'histoire.
Bon, cette nuit-là, j'ai essayé de filer, cette nuit-là. J'ai passé
cinq heures à scier l'un des barreaux de la fenêtre de cette
salle. Durant toute la nuit. Toutes les demi-heures, ils bra-
quaient une torche sur les lits. Mais j'avais tout bien minuté.
Et alors que j'avais presque fini, un type a eu... un type a eu
une crise, juste à côté de moi. En tout cas, je me suis fait
prendre. Une semaine plus tard, ils ont commencé à se pointer et à faire ces trucs sur les cerveaux. On était tous censés y
passer, dans cette salle. Et ils arrivaient et ils nous le faisaient,
chacun notre tour. Un par nuit. J'étais dans les derniers. Et
je pouvais voir très clairement ce qu'ils faisaient aux autres. Ils
arrivaient avec ces... je sais pas ce que c'était... ça ressemblait
à des grosses pinces, avec des câbles, et ces câbles étaient
reliés à une petite machine. Ça marchait à l'électricité. Ils maî-
trisaient le type et le chef... le docteur qui dirigeait les opéra-
tions mettait les pinces en place, un peu comme des écouteurs,
il les plaçait de chaque côté du crâne. Il y en avait un qui s'oc-
cupait de la machine, vous voyez, et il... la mettait en marche,
et le chef avait juste à coller les pinces de chaque côté du
crâne et à les maintenir en place. Ensuite, il les enlevait. Ils
recouvraient le gars... et ils faisaient gaffe de pas le toucher
pendant un bon moment. Quelques-uns essayaient de résis-
ter, mais la plupart renonçaient. Ils restaient simplement couchés. Enfin bref, mon tour a fini par arriver et la nuit où
ils sont venus, je me suis levé et je me suis plaqué au mur. Ils
m'ont dit de me recoucher et je savais qu'ils devaient me for-
cer à me coucher parce que s'ils me faisaient ça alors que
j'étais debout, ils pouvaient me briser la colonne. Donc je me
suis levé et ils se sont avancés vers moi à un ou deux, bon,
j'étais plus jeune à ce moment-là, j'étais beaucoup plus fort
que maintenant, j'étais vraiment costaud, j'en ai étendu un et
j'ai attrapé l'autre à la gorge, quand tout à coup, le chef m'a
foutu les pinces sur le crâne et je savais qu'il était pas censé

ACTE III

Deux semaines plus tard.
Mick est allongé sur le sol, sur la droite, sa tête reposant sur le tapis roulé, les yeux tournés vers le plafond.
Davies est assis dans le fauteuil, sa pipe à la main. Il porte la veste d'intérieur. C'est l'après-midi.
Silence.

DAVIES : J'ai l'impression qu'il a fait quelque chose pour ces fissures.

Pause.

Vous avez vu, on a été bien arrosé durant la semaine, mais pas une seule goutte est tombée dans le seau.

Pause.

Il a dû goudronner, là-haut.

Pause.

Quelqu'un marchait sur le toit, la nuit dernière. Ça devait être lui.

Pause.

J'ai vraiment l'impression qu'il a goudronné des trucs sur le toit. Il m'en a pas touché un mot. Il me dit rien.

Pause.

Il me répond pas quand je lui parle.

Il gratte une allumette, la tient au-dessus de sa pipe, puis il la souffle.

Il me donne pas de couteau !

Pause.

Il me donne pas de couteau pour couper mon pain.

Pause.

Comment je fais pour me couper une tranche de pain sans couteau ?

Pause.

Y a pas moyen.

Pause.

MICK : Vous en avez un, de couteau.

DAVIES : Quoi ?

MICK : Un couteau, vous en avez un.

DAVIES : J'ai un couteau, bien sûr que j'ai un couteau, mais comment vous croyez que je peux me couper une belle tranche de pain avec ça ? C'est pas un couteau à pain. C'est pas fait pour couper du pain. Je l'ai ramassé quelque part. Je me rappelle plus où, d'ailleurs. Non, ce que je veux...

MICK : Je sais ce que vous voulez.

Pause. Davies se lève et s'avance vers la cuisinière.

DAVIES : C'est comme cette cuisinière. Il me dit qu'elle est pas branchée. Comment je peux savoir qu'elle est pas branchée ? Je suis là, je dors juste à côté, je me réveille au milieu de la nuit, et j'ouvre les yeux en plein sur le four, mon vieux ! C'est en plein sous mon nez, qu'est-ce que j'en sais, je pourrais être au lit, ça pourrait exploser, ça pourrait me sauter à la gueule !

Pause.

Mais il a pas l'air de prêter la moindre attention à ce que je lui dis. Je lui ai dit l'autre jour, vous voyez, je lui ai dit à propos de ces Noirs, à propos de ces Noirs qui viennent d'à côté et qui se servent des toilettes. Je lui ai dit que tout était sale là-dedans, que toutes les rampes étaient sales, qu'elles étaient noires, que les toilettes entières étaient noires. Mais qu'est-ce qu'il a fait ? Il est censé s'occuper de ça, ici, et il a rien trouvé à redire, il a pas prononcé un seul mot.

Pause.

Y a deux semaines... il était assis là et il me tient un long discours... y a environ deux semaines de ça. Un long discours, qu'il me tient. Et depuis, plus un traître mot. Mais là, il arrêtait pas de parler... tout juste si on le reconnaissait... il me regardait pas, c'était pas à moi qu'il parlait, il se soucie pas de moi. Il se parlait à lui-même ! C'est tout ce qui l'intéresse. Je veux dire, vous, vous venez me voir, vous me demandez conseil, tandis que lui, c'est pas lui qui ferait ça. Je veux dire, on a aucune conversation, vous comprenez ? C'est quand même pas possible de vivre dans la même pièce avec quelqu'un qui... qui n'a pas la moindre conversation avec vous.

Pause.

Je pige rien à ce gars-là.

Pause.

Vous et moi, on pourrait faire tourner la boutique.

MICK, *pensivement* : Oui, vous avez sans doute raison. Regardez tout ce que je pourrais faire, ici.

Pause.

Je pourrais transformer ça en appartement de luxe. Par exemple... cette pièce. On pourrait en faire une cuisine. Bonne dimension, jolie fenêtre, ensoleillée. Je verrais... je verrais bien

des carrés de lino bleu canard, des légèrement cuivrés, des
façon parchemin. Je verrais bien le même genre de ton repris
en écho sur les murs. Je ferais contraster les éléments de la
cuisine avec des plans de travail gris anthracite. Suffisamment
de place pour les placards à vaisselle. On pourrait avoir un
petit placard mural, un large placard mural, un placard
d'angle avec des étagères tournantes. Il faudrait surtout pas
être juste en placards. On pourrait avoir la salle à manger de
l'autre côté du palier, vous voyez? Oui. Stores vénitiens aux
fenêtres, parquets en liège, en dalles de liège. On pourrait
également avoir une pile de plaids en lin blanc cassé, une
table en... teck de Birmanie vernie, un buffet avec des tiroirs
d'un noir antireflet, des sièges arrondis, bien rembourrés,
des fauteuils recouverts de tweed couleur grège, un canapé
en hêtre avec des coussins tissés vert d'eau, une table basse
pourvue d'un revêtement blanc résistant à la chaleur, bordé
de faïence. Oui. Maintenant, la chambre. C'est quoi, une
chambre? Une retraite. Un endroit de repos et de paix. Il
faut donc une décoration très discrète. Un éclairage fonc-
tionnel. Mobilier... acajou et palissandre. Tapis de haute
laine bleu azur, rideaux coupés dans un tissu mat, bleu et
blanc, dessus-de-lit avec motif de petites roses bleues sur fond
blanc, coiffeuse munie d'un abattant couvrant un tiroir de
rangement en plexi, lampe de table en raphia blanc... *(Mick
s'assoit.)* Ce ne serait pas un appartement, ce serait un palais.

DAVIES : C'est pas moi qui dirais le contraire, vieux.

MICK : Un palais.

DAVIES : Qui habiterait là?

MICK : Moi. Mon frère et moi.

Pause.

DAVIES : Et moi, alors?

MICK, *d'une voix douce* : Tout ce bazar, ça sert à personne.
C'est juste un tas de vieille ferraille et rien d'autre. Un fourbi.

On peut pas faire une maison avec ça. Y'a aucun moyen d'arranger ça. C'est de la merde. Il pourra jamais le vendre, et même, il en tirerait pas un rond.

Pause.

De la merde.

Pause.

Mais il a pas l'air de s'intéresser à mes projets, voilà où ça coince. Pourquoi vous auriez pas une petite conversation avec lui, pour voir ce qu'il en pense?
DAVIES : Moi?
MICK : Oui. Vous êtes son ami.
DAVIES : Il est pas mon ami.
MICK : Vous vivez avec lui, dans la même pièce, non?
DAVIES : Il est pas mon ami. On peut jamais savoir à quoi s'en tenir, avec lui. Je veux dire, avec un gars comme vous, on sait où on en est.

Mick le regarde.

Je veux dire, vous avez vos propres façons d'agir, je suis pas en train de dire que vous avez pas vos propres manières, ça peut échapper à personne. Vous avez peut-être de drôles de manières, mais c'est la même chose pour tout le monde, sauf qu'avec lui c'est différent, vous me suivez? Je veux dire au moins avec vous, le truc avec vous c'est que vous êtes...
MICK : Sans détour.
DAVIES : C'est ça, vous êtes sans détour.
MICK : Oui.
DAVIES : Tandis que lui, on sait pas ce qu'il manigance, la plupart du temps!
MICK : Mmm.
DAVIES : Il a aucun sentiment!

Pause.

En attendant, j'ai besoin d'une pendule ! J'ai besoin d'une pendule pour avoir l'heure. Comment je peux avoir l'heure si j'ai pas de pendule ? Ben, je peux pas ! Je lui ai dit, j'ai dit, eh, regardez, pourquoi j'ai pas de pendule, que je puisse un peu savoir l'heure ? Je veux dire, si on a pas l'heure, on peut pas savoir où on en est, vous me suivez ? Écoutez, voilà ce que je suis obligé de faire : quand je fais un tour dehors, je dois me débrouiller pour jeter un coup d'œil à une pendule et je dois garder l'heure en mémoire jusqu'à mon retour. Mais ça marche pas, je suis pas rentré depuis cinq minutes que j'ai oublié. J'ai oublié l'heure qu'il était !

Davies marche de long en large.

Voyons la chose autrement. Si je me sens pas bien, je vais m'étendre un peu, et alors, quand je me réveille, je ne sais pas quand c'est l'heure de sortir pour aller me boire une tasse de thé ! Vous voyez, c'est pas si grave quand je reviens. Je peux voir la pendule au coin de la rue, au moment où je rapplique à la maison je sais quelle heure il est, mais quand je suis *à l'intérieur* ! C'est quand je suis *à l'intérieur*... que j'ai plus la moindre idée de l'heure qu'il est !

Pause.

Non, j'ai vraiment besoin d'une pendule, ici, dans cette pièce, et alors ça me laisserait une petite chance. Mais il veut pas m'en donner une.

Il s'assoit dans le fauteuil.

Il fait que me réveiller ! Il me réveille en pleine nuit ! Pour me dire que je fais des bruits ! Franchement, j'ai presque envie de lui passer un savon, un de ces quatre.

MICK : Il vous laisse pas dormir ?

DAVIES : Non, il me laisse pas dormir ! Il me réveille !

MICK : C'est terrible.

DAVIES : Je me suis retrouvé dans des tas d'endroits. Et on

m'a toujours laissé dormir. C'est comme ça dans le monde entier. Sauf ici.

MICK : Le sommeil est primordial. Je l'ai toujours dit.

DAVIES : Comme vous dites, primordial. Je me réveille le matin, je suis lessivé. J'ai des trucs à régler. Je dois me remuer, faut que je me tire d'affaire, je dois me débrouiller. Mais quand je me réveille, le matin, je n'ai plus aucune énergie en moi. Et par-dessus le marché, j'ai pas de pendule.

MICK : Oui.

DAVIES, *se levant, marchant* : Il sort, je sais même pas où il va. Où ça, il me le dit jamais. Au début, on échangeait quelques mots, mais plus maintenant. Je le vois jamais, il sort, il rentre tard, tout ce que je sais, c'est qu'il est là à me bousculer au beau milieu de la nuit.

                                                            Pause.

Écoutez! Je me réveille le matin... je me réveille le matin et il est là en train de me sourire! Il reste là sans bouger, à me regarder, à sourire! Je peux le voir, vous voyez, je peux le voir à travers la couverture. Il enfile sa veste, il tourne en rond, il regarde en direction de mon lit et il a le sourire aux lèvres! Mais bon Dieu, à quoi il sourit comme ça? Ce qu'il sait pas, c'est que je le surveille à travers la couverture. Ça, il le sait pas! Il sait pas que je peux le voir, il croit que je dors, mais je le quitte pas de l'œil une seconde à travers la couverture, okay? Sauf que ça, il le sait pas! Il reste là à me regarder et à sourire, mais il se doute pas que je le vois faire!

                                                            Pause.

(Se penchant, près de Mick :) Non, ce que vous devez faire, c'est lui parler, d'accord? Je... j'ai réfléchi à la question. Vous devez lui dire... que nous avons des projets pour ici, qu'on pourrait construire, qu'on pourrait démarrer les travaux. Vous savez, je pourrais très bien m'occuper de la décoration,

pour vous, je pourrais vous donner un coup de main pour la refaire... juste vous et moi.

Pause.

Donc, vous habitez où maintenant?

MICK : Moi? Oh, j'ai un petit truc. Pas trop mal. Tout ce qu'il faut. Faudra venir boire un coup, un de ces quatre. Écouter du Tchaïkovski.

DAVIES : Non, vous voyez, vous êtes celui qui doit lui parler. Je veux dire, vous êtes son frère.

Pause.

MICK : Oui... peut-être que je devrais.

Une porte claque.
Mick se lève, va vers la porte et sort.

DAVIES : Où vous allez? C'est lui!

Silence.
Il reste un instant sans bouger, puis il se dirige vers la fenêtre et regarde dehors.
Aston entre, un sac de papier dans les bras. Il ôte son manteau, ouvre le sac et en sort une paire de chaussures.

ASTON : Paire de chaussures.

DAVIES, *se tournant* : Quoi?

ASTON : J'en ai déniché une paire. Essayez-les voir.

DAVIES : Des chaussures? Quel genre?

ASTON : Elles vont peut-être aller.

Davies revient sur le devant de la scène, enlève ses sandales et essaye les chaussures. Il fait quelques pas, remue ses pieds, se penche et tâte le cuir.

DAVIES : Non, elles vont pas.

ASTON : Elles vont pas?

DAVIES : Non, c'est pas ma pointure.

ASTON : Mmm.

Pause.

DAVIES : Écoutez, je vais vous dire quoi, elles vont aller... jusqu'à ce que j'en trouve une autre paire.

Pause.

Y a pas de lacets ?

ASTON : Pas de lacets.

DAVIES : Je peux pas les mettre si j'ai pas de lacets.

ASTON : Y avait que les chaussures.

DAVIES : Bon, alors écoutez, ça clôt le débat, non ? Je veux dire, on peut pas garder ces chaussures aux pieds si on n'a pas de lacets. Le seul moyen de pas les perdre, si on n'a pas de lacets, c'est de se contracter le pied, okay ? Marcher avec le pied contracté, okay ? Sauf que c'est pas bon pour le pied. Ça occasionne une mauvaise tension sur le pied. Quand on attache des chaussures correctement, on a moins de chance de s'attraper une tendinite.

Aston retourne vers son lit.

ASTON : Peut-être que j'en ai quelque part.

DAVIES : Vous avez suivi mon raisonnement ?

Pause.

ASTON. En voilà. *(Il les tend à Davies.)*

DAVIES : Ils sont marron.

ASTON : C'est tout ce que j'ai.

DAVIES : Les chaussures, elles sont noires.

Aston ne répond pas.

Bon, mettons que ça ira, jusqu'à ce que je m'en procure une autre paire.

Il s'assoit dans le fauteuil et commence à lacer ses chaussures.

Peut-être qu'elles me descendront jusqu'à Sidcup, demain. Si j'y arrive, je vais pas tarder à me reprendre.

Pause.

On m'a proposé un bon job. Le type qui me l'a proposé, c'est... il est bourré d'idées. Il a plutôt un bel avenir devant lui. Mais ils veulent mes papiers, vous voyez, ils veulent avoir mes références. Faut d'abord que je descende à Sidcup pour les récupérer. C'est là-bas qu'ils sont, voyez. L'ennui, c'est pour y arriver. Ça devient récurrent. La météo est à mort contre moi.

Aston sort silencieusement, sans se faire remarquer.

J'sais pas si ces chaussures vont tenir le coup. La route est longue, je me la suis déjà coltinée. Dans l'autre sens, notez. La dernière fois que je me suis rendu là-bas, c'était... la dernière fois... c'était pas hier... la route était mauvaise, il pleuvait à seaux, une chance que je ne sois pas mort au cours de ce périple, mais j'y suis arrivé, j'ai continué, tout du long... oui... j'ai continué tout du long. Mais n'empêche que je peux pas rester comme ça, ce que je dois faire, c'est retourner là-bas et retrouver ce gars...

Il se retourne et regarde autour de lui.

Sacré Nom ! Ce fils de pute, il m'écoute même pas !

NOIR.
FAIBLE LUEUR À TRAVERS LA FENÊTRE.
　　　C'est la nuit. Aston et Davies sont couchés. Davies pousse des grognements.
　　　Aston s'assoit, puis se lève de son lit, allume la lumière, va vers Davies et le secoue.

ASTON : Hé, arrêtez ça, d'accord ? Je peux pas dormir.
DAVIES : Quoi ? Quoi ? Qu'est-ce qui se passe ?
ASTON : Vous faites des espèces de bruits.

DAVIES : Je suis un vieil homme, qu'est-ce que vous voulez que je fasse, que j'arrête de respirer ?

ASTON : Vous faites des bruits.

DAVIES : Qu'est-ce que vous attendez de moi, que j'arrête de respirer ?

Aston retourne vers son lit et enfile son pantalon.

ASTON : Je vais prendre un peu l'air.

DAVIES : Qu'est-ce que vous attendez de moi ? Je vais vous dire, mon gars, je suis pas surpris qu'ils vous aient enfermé. Pour réveiller un vieil homme au milieu de la nuit, faut être à moitié cinglé, ma parole ! Des cauchemars... qui est responsable, dans ce cas, si je fais des cauchemars ? Je ferais pas de bruits si vous me lâchiez un peu avec ça. Comment je peux avoir un sommeil paisible si vous me les cassez tout le temps. Qu'est-ce que vous attendez de moi, que j'arrête de respirer ?

Il rabat la couverture et sort de son lit. Il porte veste, gilet, et pantalon.

On se les gèle tellement ici que je dois garder mon pantalon pour dormir. J'avais encore jamais fait ça de ma vie. Mais ici, j'ai pas le choix. Simplement parce que vous êtes pas fichu d'installer un satané chauffage ! Je commence à en avoir assez d'être traité de la sorte. J'ai été bien mieux gâté que vous, mon vieux. En tout cas, moi, personne m'a jamais enfermé nulle part. Je suis sain d'esprit, moi ! Alors commencez pas à me les briser. Tout ira bien tant que vous resterez à votre place. Restez-y, c'est tout. Parce que je peux vous dire, votre frère vous a à l'œil. Il sait tout à votre sujet. J'ai un ami, ici, vous inquiétez pas pour moi. J'ai un vrai copain, ici. Me traiter comme un chien ! Pourquoi m'avoir invité ici, d'abord, si c'est pour me traiter comme ça ? Si vous croyez que vous valez mieux que moi, il va falloir changer de lunettes. J'en ai entendu assez. Ils vous ont déjà enfermé une fois, ils peuvent

recommencer. Votre frère vous a à l'œil ! Ils peuvent très bien
vous reflanquer les pinces sur le crâne, mon vieux ! Ils pour-
raient vous les rebrancher un coup ! N'importe quand. Ils
attendent le signal, c'est tout. Ils vous y ramèneraient fissa,
petit. Ils viendraient, ils vous attraperaient et ils vous embar-
queraient aussi sec ! Attendez, ils s'occuperaient de vous ! Ils
vous rebrancheraient les trucs sur la tête, ils régleraient votre
cas une fois pour toutes ! Ils auraient qu'à poser un œil sur
tout ce foutoir au milieu duquel je dois dormir, ils sauraient
aussitôt que vous êtes un branleur. La plus grande erreur
qu'ils ont commise, de vous à moi, c'est de vous avoir laissé
sortir. Personne sait ce que vous fabriquez, vous entrez, vous
sortez, personne sait ce que vous combinez ! Bon, personne se
paye ma tête très longtemps. Vous pensiez que j'allais faire
votre sale boulot. Aaaahhhh ! Vous feriez mieux d'oublier !
Vous croyez que je vais faire le sale boulot du haut des
marches jusqu'en bas juste pour avoir le droit de me retrouver chaque nuit à coucher dans cet infect trou crasseux ? Pas
moi, petit. Pas pour vos beaux yeux, mon petit pote. Vous ne
savez même pas ce que vous faites la moitié du temps. Vous
vous fourrez le doigt dans l'œil ! Vous êtes à moitié barré ! Ça
se voit au premier coup d'œil. Qui vous a jamais vu me refiler
une pièce ? Me traiter comme un putain d'animal ! Je me suis
jamais retrouvé chez les dingues, moi !

> *Aston fait un léger mouvement dans sa direction.*
> *Davies sort son couteau de sa poche.*

Arrêtez un peu votre cinéma, mon pote. J'ai ce truc en
main. Je m'en suis déjà servi. Je m'en suis déjà servi. Arrêtez
votre cinéma.

> *Pause. Ils s'observent.*

Faites gaffe à ce que vous faites.

> *Pause.*

Tentez rien avec moi.

Pause.

ASTON : Je… je crois qu'il est temps pour vous de trouver un autre endroit. Je crois qu'on s'entend plus.

DAVIES : Trouver un autre endroit ?

ASTON : Oui.

DAVIES : Moi ? C'est à moi que vous parlez ? Pas moi, l'ami ! Vous !

ASTON : Quoi ?

DAVIES : Vous ! C'est plutôt à vous de vous trouver un autre coin !

ASTON : Je vis ici. Pas vous.

DAVIES : Pas moi ? Écoutez, je vis ici. On m'a proposé un boulot, ici.

ASTON : Oui… bon, je crois que vous faites pas l'affaire.

DAVIES : Pas l'affaire ? Oui, ben, je vais vous dire, il y a quelqu'un ici qui pense que je fais l'affaire. Et je vais vous dire. Je reste ici en tant que gardien. Pigé ? Votre frère, il me l'a dit, d'accord, il m'a dit que le boulot était pour moi. Pour moi ! Je vais pas revenir là-dessus. Je vais être son gardien.

ASTON : Mon frère ?

DAVIES : Il va s'installer ici, il va prendre les choses en main, et je reste avec lui.

ASTON : Écoutez. Si je vous donne… un peu d'argent, vous pourrez aller à Sidcup.

DAVIES : Allez plutôt vous occuper de votre cabane ! Un peu d'argent ? Alors que je peux avoir un salaire régulier ! Allez plutôt vous occuper de votre cabane puante ! Faites donc ça !

Aston le regarde fixement.

ASTON : C'est pas une cabane puante.

Silence.
Aston s'avance vers lui.

C'est propre. Rien que du bon bois. Je vais la construire.
Pas de problème.

DAVIES : Vous approchez pas !

ASTON : Vous avez aucune raison d'appeler ça une cabane
puante.

> *Davies pointe son couteau.*

C'est vous qui puez.

DAVIES : Quoi !

ASTON : Vous empestez toute la place.

DAVIES : Nom de Dieu, vous osez me dire ça !

ASTON : Ça fait des jours. C'est pour ça que je peux pas dormir. Entre autres.

DAVIES : Vous me balancez ça ! Vous me balancez que je
pue !

ASTON : Vous feriez mieux de partir.

DAVIES : JE PUE VOUS-MÊME !

> *Il tend brusquement son bras, d'un geste tremblant, le
> couteau pointé sur l'estomac d'Aston. Celui-ci ne bronche
> pas. Silence. Le bras de Davies ne va pas plus loin. Ils
> se font face.*

Je pue vous-même...

> *Pause.*

ASTON : Prenez vos affaires.

> *Davies replie le couteau contre sa poitrine, respirant
> bruyamment.*
> *Aston s'avance vers le lit de Davies, ramasse son sac
> et jette quelques affaires de Davies à l'intérieur.*

DAVIES : Vous avez... vous avez pas le droit... Laissez ça tranquille, c'est à moi !

> *Il saisit le sac et en bourre le contenu.*

D'accord... on m'a offert un boulot ici... attendez... *(Il enfile sa veste d'intérieur.)*... attendez un peu... votre frère... il va s'occuper de votre cas... me balancer ça... me balancer ça... personne m'avait encore dit un truc pareil... *(Il enfile son manteau.)* Vous allez regretter de m'avoir dit ça... vous avez pas fini d'en entendre causer... *(Il prend son sac et se dirige vers la porte.)* Vous allez regretter de m'avoir dit un truc pareil...

> *Il ouvre la porte tandis qu'Aston l'observe.*

Je sais maintenant en qui je peux avoir confiance.

> *Il sort. Aston reste immobile.*
> NOIR.
> *LUMIÈRE. Fin d'après-midi.*
> *Voix dans les escaliers.*
> *Mick et Davies entrent.*

DAVIES : Puer ! Vous entendez ça ? Moi ! Je vous répète ce qu'il m'a dit, hein. Que je pue ! Vous entendez ça ? Voilà ce qu'il m'a sorti !

MICK : Tss, tss, tss.

DAVIES : Exactement ce qu'il m'a sorti.

MICK : Vous puez pas.

DAVIES : Manquerait plus que ça !

MICK : Si vous aviez pué, j'aurais été le premier à vous le dire.

DAVIES : Je lui ai répondu, je lui ai répondu que... je lui ai dit, vous avez pas fini d'en entendre causer, mon bonhomme ! J'ai dit, oubliez pas votre frère. Je l'ai prévenu que vous alliez venir pour vous occuper de son cas. Il sait pas le truc qu'il a mis en branle en faisant ça. En me faisant ça à moi. Je lui ai dit, je lui ai dit, il va arriver, votre frère va arriver, et c'est quelqu'un de sensé, pas comme vous...

MICK : Qu'est-ce que vous insinuez ?

DAVIES : Hein ?

MICK : Vous êtes en train de dire que mon frère n'a pas toute sa tête ?

DAVIES : Quoi ? Ce que je dis, c'est que vous avez des idées pour ici, pour toute cette... toute cette décoration, non ? J'entends, il a aucun droit de me commander. Je reçois des ordres uniquement de vous, je fais le gardien pour vous, je veux dire, vous me prêtez attention... vous me traitez pas comme un moins que rien... vous et moi... vous et moi le voyons tel qu'il est.

Pause.

MICK : Et qu'est-ce qu'il a dit, alors, quand il a appris que je vous proposais ce boulot de gardien ?

DAVIES : Il... il a dit... il a dit... quelque chose concernant le fait... qu'il vivait ici.

MICK : Oui, là il marque un point, non ?

DAVIES : Un point ? C'est votre maison, non ? Il vit ici avec votre permission !

MICK : Je pourrais lui demander de partir, j'imagine.

DAVIES : C'est exactement ce que je dis.

MICK : Oui, je pourrais lui dire de s'en aller. Je veux dire, je suis le propriétaire. D'un autre côté, il est le locataire en place. Lui donner congé, vous voyez, ce que c'est, c'est un problème technique, voilà ce que c'est. Tout dépend comment vous considérez cette pièce. Je veux dire par là, tout dépend si on considère que cette pièce est meublée ou non. Vous me suivez ?

DAVIES : Non, je vous suis pas.

MICK : Tous ces meubles, vous voyez, là, tout est à lui, en dehors des lits, bien sûr. Donc nous nous trouvons face à un problème juridique assez ardu, il faut dire ce qui est.

Pause.

DAVIES : Moi je vous dis, il devrait retourner d'où il vient !

MICK, *se tournant pour le toiser* : D'où il vient ?

DAVIES : Oui.

MICK : D'où vient-il ?

DAVIES : Eh bien... il... il...

MICK : Vous perdez un peu pied, non, quelquefois ?

Pause.

(Se levant, brusquement :) Bon, en tout cas, quoi qu'il en soit, je suis partant pour qu'on commence à retaper cet endroit...

DAVIES : Voilà ce que je voulais entendre !

MICK : Non, je suis partant.

Il se tourne pour faire face à Davies.

Mais vous avez intérêt à être aussi bon que vous le prétendez.

DAVIES : Vous voulez dire quoi au juste ?

MICK : Ben, vous dites que vous êtes décorateur d'intérieur... vous avez intérêt à en être un bon.

DAVIES : Un quoi ?

MICK : Comment ça, un quoi ? Un décorateur. Un décorateur d'intérieur.

DAVIES : Moi ? C'est quoi, cette histoire ? J'ai jamais touché à ça. J'ai jamais été ça.

MICK : Vous avez jamais été quoi ?

DAVIES : Non, non, pas moi, vieux. Je suis pas un décorateur d'intérieur. J'ai été trop occupé. Trop d'autres choses à faire, vous voyez ? Mais je... mais j'ai toujours su m'adapter aux différentes situations... donnez-moi... donnez-moi seulement un peu de temps pour prendre le coup.

MICK : Je veux pas vous laisser prendre le coup. Je veux le top du top des décorateurs. Je pensais que vous l'étiez.

DAVIES : Moi ? Eh, attendez une minute... attendez une minute... y a erreur sur la personne.

MICK : Comment ça, y a erreur sur la personne ? Vous êtes le seul à qui j'en ai parlé. Vous êtes le seul à qui j'ai confié mes rêves, mes désirs les plus intimes, vous êtes le seul à qui j'en ai parlé, et si je me suis confié à vous, c'est parce que j'avais compris que vous étiez la crème de la crème des décorateurs professionnels d'intérieur et d'extérieur.

DAVIES : Bon, maintenant écoutez...

MICK : Vous voulez dire que vous seriez pas capable de mettre en place des carrés de lino bleu canard, des légèrement cuivrés, des façon parchemin et de retrouver ces teintes en écho sur les murs ?

DAVIES : Maintenant, écoutez-moi, où avez-vous vu... ?

MICK : Vous seriez pas capable d'inclure au décor une table en teck de Birmanie vernie, un fauteuil recouvert de tweed grège et un canapé en hêtre avec des coussins tissés vert d'eau ?

DAVIES : J'ai jamais dit ça !

MICK : Mince alors ! J'ai dû partir sur une fausse impression.

DAVIES : Je l'ai jamais dit !

MICK : Vous êtes un putain d'imposteur, mon vieux.

DAVIES : Écoutez, vous pouvez pas dire de telles choses sur mon compte. Vous m'avez engagé ici comme gardien. J'étais sur le point de vous donner un coup de main, c'est tout, pour un petit... pour un petit salaire, j'ai jamais rien dit à propos de ça... et vous commencez à me refiler des noms...

MICK : Quel est votre nom ?

DAVIES : Recommencez pas avec ça...

MICK : Non, quel est votre vrai nom ?

DAVIES : Mon vrai nom, c'est Davies.

MICK : Et le nom sous lequel vous circulez ?

DAVIES : Jenkins !

MICK : Vous avez deux noms. Et pour le reste ? Hein ? Maintenant, dites-moi, allez, pourquoi vous m'avez raconté toutes ces salades comme quoi vous étiez décorateur d'intérieur ?

DAVIES : Je vous ai rien raconté du tout ! Vous voulez pas écouter ce que je vous dis ?

Pause.

C'est lui qui vous a raconté ça. C'est votre frère qui a dû vous raconter ça. Il est dingue ! Il raconte n'importe quoi, par méchanceté, il est cinglé, il est complètement barré, c'est lui qui vous a raconté ça.

Mick s'approche lentement de lui.

MICK : Comment vous avez appelé mon frère ?

DAVIES : Quand ça ?

MICK : Il est quoi ?

DAVIES : Je… enfin entendons-nous bien…

MICK : Cinglé ? Qui est cinglé ?

Pause.

Vous avez dit que mon frère était cinglé ? Mon frère. C'est un peu… c'est un truc un peu impertinent à dire, non ?

DAVIES : Mais il le dit lui-même !

Mick tourne lentement autour de Davies, sans le quitter des yeux. Il fait un tour complet.

MICK : Quel homme étrange vous faites. N'est-ce pas ? Vous êtes vraiment étrange. Depuis que vous avez mis les pieds dans cette maison, tout va de travers. Franchement. Je ne peux rien prendre de ce que vous dites pour argent comptant. Chaque mot que vous prononcez peut revêtir toutes sortes d'interprétations. Presque toutes vos paroles sont des mensonges. Vous êtes d'un tempérament violent, instable, vous êtes complètement imprévisible. Au fond, vous n'êtes qu'un animal sauvage. Vous êtes un grossier personnage. Et, cerise sur le gâteau, vous puez du trou du cul jusqu'à la gueule. Regardez-moi ça. Vous arrivez ici en vous recommandant comme décorateur d'intérieur, fort de quoi je vous engage, et qu'est-ce qui s'ensuit ? Vous me pondez un long discours sur toutes les références que vous allez me ramener de Sidcup, et qu'est-ce qui s'ensuit ? Je n'ai pas remarqué votre expédition à Sidcup pour aller les chercher. C'est bien regrettable, mais il semble bien que je sois contraint de ne plus vous employer comme gardien. Voici cinq shillings.

> *Il tâte ses poches, prend l'argent et le jette aux pieds de Davies. Celui-ci reste sans bouger. Mick s'avance vers la cuisinière et attrape le Bouddha.*

DAVIES, *lentement* : Bon, alors d'accord... faites ça... faites donc ça... si c'est ce que vous voulez...

MICK : C'EST CE QUE JE VEUX !

> *Il jette le Bouddha contre la cuisinière. Il se brise.*

(*Avec véhémence :*) On croirait que cette maison est la seule chose dont je dois me soucier. Il y a plein de choses dont je dois me soucier. Il y en a toute une liste. J'ai plus d'une corde à mon arc. J'ai ma propre affaire à développer, non ? Je dois songer à m'agrandir... dans toutes les directions. Je reste pas les bras croisés. Je me remue toute la sainte journée. Je me remue... tout le temps. Je dois penser à l'avenir. Je me tracasse pas pour cette maison. Ça m'intéresse pas. Mon frère peut s'en occuper. Il peut la retaper, il peut la décorer, il peut faire ce qu'il veut avec. Ça me gêne pas. Je pensais lui rendre service en le laissant vivre ici. Il a ses propres idées. Qu'il les ait. Je laisse tomber.

> *Pause.*

DAVIES : Et moi, alors ?

> *Silence. Mick ne le regarde pas.*
> *Une porte claque.*
> *Silence. Ils ne bougent pas.*
>
> *Aston entre. Il ferme la porte, s'avance dans la pièce et fait face à Mick. Ils s'observent mutuellement. Ils sourient tous les deux, presque imperceptiblement.*

MICK, *commençant à parler à Aston* : Écoute... euh...

> *Il s'arrête, marche vers la porte et sort. Aston laisse la porte ouverte, passe devant Davies, remarque le Bouddha cassé et examine la pièce durant un instant. Puis il s'avance vers son lit, ôte son pardessus, s'assoit, prend le tournevis et la prise et se met au travail.*

DAVIES : Je suis juste revenu pour ma pipe.

ASTON : Oh, oui.

DAVIES : J'étais parti et... à mi-chemin je... je me suis soudain... aperçu... vous voyez... que j'avais oublié ma pipe. Je suis donc revenu la chercher...

> *Pause. Il s'avance vers Aston.*

C'est pas la même prise, non, que vous êtes...

> *Pause.*

Vous en êtes toujours pas venu à bout, hein ?

> *Pause.*

Enfin, si vous... persévérez, à mon avis, vous allez sûrement...

> *Pause.*

Écoutez...

> *Pause.*

Vous vouliez pas dire ça, non, comme quoi j'empestais, n'est-ce pas ?

> *Pause.*

N'est-ce pas ? Vous avez été sympa avec moi. Vous m'avez amené ici. Vous m'avez amené ici, vous m'avez pas posé de questions, vous m'avez offert un lit, vous avez été un bon copain pour moi. Écoutez. J'ai réfléchi, pourquoi je faisais tous ces bruits, c'était à cause des courants d'air, vous voyez, je les avais en plein sur moi pendant que je dormais, ça me faisait faire des bruits sans que je m'en rende compte, donc j'ai réfléchi, ce que je veux dire, c'est que si vous me donniez votre lit et que vous preniez le mien, il n'y a pas vraiment de différence entre les deux, c'est le même genre de lit, si je pouvais avoir le vôtre, vous, ça vous gêne pas, vous dormez dans n'importe quel lit, donc vous prenez le mien, je prends le vôtre, et tout sera au poil, je serai à l'abri des courants d'air, voyez, je veux dire, ça vous gêne pas un peu de vent, vous avez besoin d'un peu d'air, je peux le comprendre, vous vous êtes retrouvé dans cet endroit à l'époque, avec tous ces docteurs et tout ce qu'ils vous ont fait, enfermé entre quatre murs, je connais ces coins-là, trop chaud, vous voyez, il y fait toujours trop chaud, j'y ai jeté un coup d'œil, une fois, j'ai failli suffoquer, alors j'estime que c'est le meilleur moyen, on échange les lits, et comme ça, on pourrait revenir à ce qu'on disait, je m'occupe de la maison pour vous, je la surveille pour vous, pour vous, genre, pas pour l'autre... pas pour... pour votre frère, vous voyez, pas pour lui, pour vous, je suis votre homme, vous avez qu'un mot à dire, rien qu'un mot à dire...

Pause.

Vous en pensez quoi, de ce que je viens de vous dire ?

Pause.

ASTON : Non, j'aime bien dormir dans ce lit.

DAVIES : Mais vous comprenez pas ce que je vous dis !

ASTON : D'ailleurs, celui-là, c'est celui de mon frère.

DAVIES : Celui de votre frère ?

ASTON : Chaque fois qu'il dort ici. Celui-là, c'est le mien. C'est le seul lit dans lequel je peux dormir.

DAVIES : Mais votre frère est parti ! Il a fichu le camp !

Pause.

ASTON : Non. Je pourrais pas changer de lit.

DAVIES : Mais vous comprenez pas ce que je vous dis !

ASTON : De toute façon, je vais être occupé. Il faut que je construise cette cabane. Si je commence pas maintenant, elle sera jamais finie. Et tant qu'elle sera pas finie, je pourrai pas démarrer.

DAVIES : Je vais vous donner un coup de main pour votre cabane, voilà ce que je vais faire !

Pause.

Je vais vous donner un coup de main ! On va la construire ensemble, cette cabane ! Vu ? Elle sera debout en un clin d'œil ! Vous voyez ce que je veux dire ?

Pause.

ASTON : Non. Je peux le faire tout seul.

DAVIES : Mais écoutez. Je suis avec vous, je serai là, je vais vous la faire !

Pause.

On la fera ensemble !

Pause.

Nom de Dieu, y a juste à changer de lit !

> *Aston se dirige vers la fenêtre et reste là, le dos tourné à Davies.*

Ça veut dire que vous me virez ? Vous pouvez pas faire ça. Écoutez, vieux, écoutez, vieux, je m'en fiche, vous voyez, je m'en fiche, je vais rester, je m'en fiche, je vais vous dire quoi, si vous voulez pas changer de lit, on n'a qu'à rester comme ça, je vais rester dans le même lit, peut-être que je peux mettre la main sur de la toile de sac un peu plus épaisse, genre, devant la fenêtre, pour arrêter le courant d'air, ça ira, qu'est-ce que vous en dites, on marche comme ça ?

Pause.

ASTON : Non.

DAVIES : Pourquoi… pas?

Aston se tourne pour le regarder.

ASTON : Vous faites trop de bruit.

DAVIES : Mais… mais… regardez… écoutez… écoutez-moi… je veux dire…

Aston se tourne de nouveau vers la fenêtre.

Je vais faire quoi?

Pause.

Qu'est-ce que je vais faire?

Pause.

Où est-ce que je vais aller?

Pause.

Si vous voulez que je parte… je vais partir. Vous avez qu'un mot à dire.

Pause.

Je vais quand même vous dire… ces chaussures… ces chaussures que vous m'avez données… elles vont très bien… elles sont au poil. Peut-être que je vais pouvoir… que je vais pouvoir aller…

Aston reste silencieux, le dos tourné, face à la fenêtre.

Écoutez… si je… si j'allais… si je pouvais… récupérer mes papiers… seriez-vous… seriez vous d'accord… seriez-vous… si j'allais… et si je récupérais…

Long silence.

RIDEAU.

Composé par Interligne.
Achevé d'imprimer
par l'Imprimerie Floch
à Mayenne, le 12 septembre 2006.
Dépôt légal : septembre 2006.
Numéro d'imprimeur : 66453.

ISBN 2-07-078074-0 / Imprimé en France.

143805